PASOS

an intermediate course in **2** **SPANISH**

ACTIVITY BOOK

PASOS

an intermediate course in **2** **SPANISH**

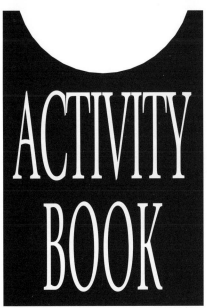

ACTIVITY BOOK

Rosa María Martín

Martyn Ellis

Hodder & Stoughton

A MEMBER OF THE HODDER HEADLINE GROUP

Orders: please contact Bookpoint Ltd, 130 Milton Park, Abingdon,
Oxon OX14 4SB. Telephone: (44) 01235 827720;
Fax: (44) 01235 400454. Lines are open from 9.00–6.00, Monday to
Saturday, with a 24 hour message answering service.
You can also order through our website: www.hodderheadline.co.uk

British Library Cataloguing in Publication Data
A catalogue record for this title is available from The British Library

ISBN 0 340 84751 4

First published 2002
Impression number   10 9 8 7 6 5 4 3 2
Year   2008 2007 2006 2005 2004

Hodder Headline's policy is to use papers that are natural, renewable
and recyclable products and made from wood grown in sustainable
forests. The logging and manufacturing processes are expected to
conform to the environmental regulations of the country of origin.

Cover illustration by Andrew Bylo. Illustrations by Gillian Martin
and Pumpkin House.
Typeset by Servis Filmsetting Ltd, Manchester
Printed in Great Britain for Hodder & Stoughton Educational, a
division of Hodder Headline, 338 Euston Road, London NW1
3BH by Martins the Printers, Berwick-upon-Tweed.

Contents

1

¿Recuerdas?

Sección A *Actividades*

1 Éstas son las respuestas que una presentadora famosa de televisión da en una entrevista. Tú eres el/la periodista. Escribe las preguntas usando primero la forma **tú** y después la forma **usted**.

12 Sí, por las tardes los cuido yo, los baño y les doy la cena.

1 El 27 de noviembre de 1970.

2 Soy uruguaya, de la capital, Montevideo.

11 No. Por la mañana presento mi programa de televisión, pero por la tarde soy ama de casa.

3 No, en una casa.

10 Es pequeña. Tiene sólo tres dormitorios.

4 No, está en las afueras de la ciudad. No me gusta el centro.

9 A las siete de la mañana, menos el domingo, me gusta dormir hasta las diez.

5 No, estoy divorciada, pero tengo hijos.

8 Leer y escuchar música.

6 Tengo dos, un hijo y una hija.

7 Sí, tengo tres hermanas.

2 Escribe el texto completo usando las claves.

Empieza: *Se llama Laura …*

Laura / Colombia / Bogotá / soltera / dos hermanas / piso grande / cinco dormitorios / centro / ciudad / con familia / estudiante / universidad / Economía / también idiomas: inglés y portugués / trabajar / tardes / oficina / tiempo libre: cine, televisión, música, compras

3 Escribe un texto similar al de Actividad 2 sobre ti, con tu información.

Sección A *Gramática*

1 Selecciona el verbo adecuado del cuadro y pon la forma correcta en los espacios en blanco.

dormir   hacer   cocinar   jugar   limpiar vivir   comer (x 3)   pasar   ir   estar ayudar   plantar   ver   fregar   nadar tener   haber

Mis hermanos y yo **1** .... todos los domingos a **2** .... a nuestros abuelos y **3** .... con ellos. Mis abuelos **4** .... en una casa muy grande en un pueblo que **5** .... cerca de la ciudad. La casa **6** .... un jardín muy grande y una piscina. Cuando **7** .... buen tiempo siempre **8** .... en el jardín. En el jardín **9** .... muchas flores y plantas. Mi abuelo **10** .... también hortalizas que luego mi abuela **11** .... Por la tarde después de **12** .... , todos **13** .... a mi abuela a **14** .... la cocina y también **15** .... los platos. Después todos **16** .... la siesta,

17 .... en la piscina y **18** .... a las cartas. Lo **19** .... estupendamente.

2 Presentaciones: completa los diálogos.

1

SR. GARCÍA   Señora Rodríguez, le .... al señor Martín.

SRA. RODRÍGUEZ   .... , Señor Martín.

SR. MARTÍN   Mucho .... , Señora Rodríguez.

2

PEDRO   Ana, ... es Juan, el hermano de María. Juan, ... es Ana, es amiga de tu hermana María.

JUAN   .... , Ana. Mucho ....

ANA   ¿Qué .... , Juan?

Secciones B y C *Actividades*

1 ¿Os gustan los deportes?
Primero une cada objeto (**1–9**) con su nombre (**a–i**) y después escribe el nombre del deporte en el que se usa.
Ejemplo: **1 i**   *tenis*

8

9

a un palo
b unos esquís
c un balón
d un gorro
e una portería

f un casco
g una canasta
h unos patines
i una raqueta

2 Mira los objetos de Actividad 1. Abajo hay una lista de una o más personas relacionadas con el deporte indicado. En cada nombre hay una de las señales siguientes:

✔ sí ✔✔ mucho ✘ no ✘✘ nada

Haz frases usando **gustar** y **encantar**.

1 yo ✔ mis padres ✘✘
A mí me gusta el tenis, pero a mis padres no les gusta nada.
2 María ✔✔ su padre ✘
....
3 Manuel y Javier ✘ sus hermanos ✔✔
....
4 mi hermana ✘✘ mi madre ✔
....
5 Alicia ✔✔ su marido ✘✘
....
6 Alfonso y Ester ✔ sus padres ✘
....
7 Clara ✔✔ su hijo ✘
....
8 Gustavo ✘✘ sus padres ✔✔
....
9 mi padre ✔ mi tío ✘
....

3 Lee las postales que te mandó tu amiga Luisa y escribe una carta a otro amigo contándole lo que hicieron Pepe y ella.

Empieza: Hola, ¿qué tal? ¿Sabes que Pepe y Luisa fueron de vacaciones a Mallorca?...

1

Hola. Te mandamos esta postal desde Mallorca. Nos gusta mucho la playa. Nadamos mucho y tomamos el sol. Bueno, Pepe no, no toma el sol porque no le gusta. Estamos en un hotel muy bueno. La comida nos encanta, sobre todo el pescado. Hasta pronto: Luisa

2

Hola. Hoy voy yo sola a la capital de la isla, Palma de Mallorca, a ver la catedral y otros monumentos. A mí me encantan, pero a Pepe no le gustan nada los monumentos así que se queda en el hotel. Un abrazo: Luisa

3

Hola. Hoy voy en un barco de excursión. A Pepe no le agrada viajar en barco porque se marea, así que se queda en la piscina del hotel. A los dos nos encanta la piscina del hotel y nos encantan las copas del bar de la piscina. Por las noches vamos a muchas fiestas en la discoteca del hotel. Nos gustan mucho las fiestas. Besos: Luisa

Secciones B y C *Gramática*

1 Une las preguntas con las respuestas.

Ejemplo: 1 *¿Os gusta el cine?* + **f** *Sí, nos gusta mucho.*

1 ¿Os gusta el cine?
2 ¿Te gustan los fuegos artificiales?
3 ¿Les gusta la nueva casa?
4 ¿Os gustan las películas de Almodóvar?
5 ¿Le gusta la playa?
6 ¿Le gustan las montañas?
7 ¿Te gusta el verano en España?
8 ¿A tus padres les gustan tus amigos?
9 ¿A vosotros os gusta el baile?

a Sí, les gustan.
b Sí, nos encantan.
c No, no les gusta mucho.
d No, no me gustan nada.
e Sí, le encanta.
f Sí, nos gusta mucho.
g No, no le gustan mucho.
h No, no nos gusta mucho.
i Sí, me encanta.

2 Completa los espacios en blanco del diálogo siguiente.

A La semana pasada mi mujer y yo estuvimos en Barcelona.
B ¿**1** .... gustó?
A Sí, mucho. A los dos **2** ....
encantó la ciudad. Fuimos a ver la Iglesia de la Sagrada Familia.
B Ana y yo fuimos a verla el año pasado. A **3** .... me gustó mucho, pero a Ana no **4** .... gustó nada.
A Pues a **5** .... no **6** .... gustó tampoco, es muy extraña, pero a mi mujer **7** .... encantó.
B Mis hijos fueron a verla y también **8** .... gustó mucho. Pero lo que de verdad **9** .... encantó fueron las Ramblas.

Secciones D y E *Actividades*

1 Busca en el Cuadro B las terminaciones de las palabras que hay en el Cuadro A.

A

| simpa- | le- | since- | deci- | diver- | be- |
| traba- | genero- | compren- | ale- | román- | |

B

| -al | -sión | -dido | -sidad | -llo | -tico |
| -ridad | -tía | -tido | -jador | -gre | |

2 Busca en la sopa de letras los opuestos a las palabras de Actividad 1.

```
I Y J L S Q E W C Z P B
N A N T I P A T I A E V
T F F R I O N E E L R G
O J K A R T J Q G D E T
L P L I E A R P O M Z O
E I M D P S I I I E O P
R F E O T X P K S N S M
A B U R R I D O M T O N
N O D L H D M L O I E S
C Y C Q G A O I D R R Z
I G E W D P D S D A G F
A Q W S F Y C X G O H V
```

Secciones D y E *Gramática*

1 Completa el cuadro con las palabras de Actividades 1 y 2. Añade las palabras que faltan. Te damos un ejemplo.

Cualidad: nombre	Cualidad: adjetivo	Defecto: nombre	Defecto: adjetivo
la simpatía	simpático	la antipatía	antipático
1			
2			
3			
4			
5			
6			
7			
8			
9			
10			

2 Mira los adjetivos del cuadro anterior y escribe las formas femeninas. Usa frases completas.

Ejemplo: Luis es simpático ➜ María es simpática pero Juana es antipática.

Autoevaluación

Ya sabes . . .

hablar de varios aspectos de tu vida personal y de la vida de los demás.

hablar de lo que te gusta o no (a ti y a los demás).

hablar de la personalidad, de cualidades y defectos.

hablar del pasado, usando el pretérito indefinido.

2

¿En qué consiste tu trabajo?

Sección A *Actividades*

1 Lee la lista de profesiones y decide las cualidades que crees son necesarias para cada una.

a profesor	**b** piloto
c artista	**d** programador
e montañero	**f** vendedor

1 adaptable	**2** ágil
3 atrevido	**4** analítico
5 comunicador	**6** creativo
7 cuidadoso	**8** decidido
9 discreto	**10** emocional
11 enérgico	**12** exacto
13 exigente	**14** extravertido
15 firme	**16** imaginativo
17 independiente	**18** lógico
19 metódico	**20** motivador
21 negociador	**22** ordenado
23 paciente	**24** persuasivo
25 práctico	**26** seguro
27 sensato	**28** tenaz
29 valiente	

2 Debajo de cada profesión hay cuatro actividades que se realizan en ella. Pero las actividades están mezcladas. Pon las actividades correctas en la profesión correspondiente.

1 Albañil
a acompaña a un conductor
b cuida el césped
c tira paredes
d sugiere cambios de un texto

2 Editor
e prepara el cemento
f corrige pruebas de libros
g corta las ramas
h enseña las normas de circulación

3 Jardinero
i coloca ladrillos
j riega la hierba
k pide permisos para utilizar materiales
l da instrucciones

4 Profesor de autoescuela
m planta semillas
n habla con escritores
o trabaja en edificios
p muestra el uso de los mandos

Sección A *Gramática*

1 Escribe el femenino de los adjetivos que aparecen en Actividad 1 (**Actividades**).

Ejemplo: cuidadoso ➔ cuidadosa

2 Elige el verbo que corresponde a cada frase y ponlo en la forma correcta.

teñir atender poner arreglar cortar enseñar aprobar hacer dirigir vigilar tener repartir

1 Ayer nosotros .... cinco coches en el taller.
2 La semana pasada yo .... y .... el pelo de mi madre.
3 El año pasado el periodista .... numerosos reportajes.
4 El otro día las dependientas no .... bien a los clientes.
5 La policía de tráfico .... el tráfico en la autopista el fin de semana pasado y .... muchas multas.
6 Los empleados de correos .... huelga ayer y no .... las cartas.
7 El año pasado la profesora .... mucha gramática a los niños.
8 El director .... y .... el proyecto personalmente.

Sección B *Actividades*

1 Elige palabras del cuadro para rellenar el anuncio.

actuación mano adjunto desarrollo enviar asesoramiento correo recoger asumir comunicación dirección valorará facilitar retribución similar formación gestión requiere vehículo Telecomunicaciones incorporación

INGENIERO DE VENTAS

• Funciones:

1 .... todas las responsabilidades en el campo de **2** .... asignado: **3** .... del tiempo y clientes.

• Comprobar y **4** .... el progreso de proyectos, **5** .... técnico, etc.

• Se **6** .... formación de Ingeniero Técnico o Superior, preferiblemente en Electrónica, Electricidad o **7** .... Se **8** .... experiencia en funciones técnico comerciales, preferible en sector **9** .... **10** .... en inglés imprescindible.

• El puesto ofrece la **11** .... en una organización de probada y elevada calidad, **12** .... constante y **13** .... profesional, plan de **14** .... atractivo, **15** .... de empresa.

• Las personas interesadas deberán cumplimentar a **16** .... el documento **17** .... y enviarlo por **18** .... urgente. También pueden llamar al 7885670 para **19** .... personalmente dicho cuestionario.

• **20** .... antes del día 27 de noviembre a la siguiente **21** .... :

Telectrónica S.A.
Departamento de selección de personal
Calle Aznar, 92
Zaragoza 50012

2 Lee la siguiente carta de petición de empleo y completa el currículum con los datos.

Muy señores míos:

Con relación al puesto de gerente de su agencia de viajes, anunciado en el periódico *La Tarde*, el día 10 de este mes, paso a informarles de mis estudios y mi experiencia. Terminé mis estudios de Turismo hace tres años, a los veintitrés años, y fui a trabajar a Inglaterra durante seis meses como recepcionista en un hotel. Al mismo tiempo perfeccioné mi inglés, idioma que conozco perfectamente. Al volver a España trabajé como empleada en una agencia de viajes, atendiendo a los clientes y al cabo de unos meses me ascendieron a gerente. El verano pasado hice un curso intensivo de francés, hasta nivel intermedio. También estudié un máster en Relaciones Públicas el año pasado. He asistido a tres cursillos de perfeccionamiento y a cinco conferencias sobre el tema. Soy una persona muy trabajadora y abierta.

Me gusta mucho la lectura y el cine y me encanta viajar. Les estaré muy agradecida si me dan la oportunidad de una entrevista. Esperando su respuesta, les saluda atentamente.

Marta Jimeno Pérez

CURRICULUM VITAE

Nombre: **1** ....

Dirección: Avda. Constitución, 19

Teléfono: 2369839

Fecha de nacimiento: el 5 de junio de 19XX

Lugar de nacimiento: Tarazona

Edad: **2** ....

Nacionalidad: española

Formación (Estudios oficiales y otros): **3** ....

Idiomas: **4** ....

Experiencia profesional: **5** ....

Personalidad: **6** ....

Otros datos de interés y aficiones: **7** ....

Sección B *Gramática*

1 Pon los verbos de cada pregunta de la entrevista en el pasado. Luego contesta las preguntas usando los datos entre paréntesis.

1 ¿Cuándo (terminar) usted sus estudios? (1998)
¿Cuándo terminó usted sus estudios?
—Terminé mis estudios en 1998.

2 ¿En qué fecha (empezar) usted a estudiar en la universidad? (junio 2000)
....

3 ¿Qué carrera (estudiar) usted? (Economía)
....

4 ¿Dónde (aprender) usted a hablar francés? (universidad de Toulouse)
....

5 ¿(Tener) usted algún puesto de responsabilidad en su trabajo anterior? (no)

....

6 ¿Dónde (hacer) usted sus estudios secundarios? (Madrid)

....

7 ¿Cómo (enterarse) usted de la existencia de este puesto? (periódico)

....

2 Escribe ahora las preguntas de la entrevista con la forma **tú**.

Ejemplo: ¿Cuándo terminar (tú) tus estudios? ➜ ¿Cuándo terminaste tus estudios?

Sección C *Actividades*

1 Lee la historia de Lolita y Luis y sustituye las palabras subrayadas por pronombres personales en tercera persona.

Luis estaba solo y aburrido en casa, era Domingo y no sabía qué hacer. Recordó que era el cumpleaños de Lolita y llamó <u>a Lolita</u> por teléfono. Invitó <u>a Lolita</u> al cine. Dijo <u>a Lolita</u>: 'Te espero en el bar Pepe.' Luis fue al bar, pero antes, como era el cumpleaños de Lolita, fue a comprar <u>a Lolita</u> un regalo. Compró <u>a Lolita</u> un libro y guardó <u>el libro</u> en la bolsa. Luis fue al bar y esperó <u>a Lolita</u> más de dos horas. Luis tomó varias copas que hicieron daño <u>a Luis</u>. Como Lolita no venía, Luis salió del bar, buscó <u>a Lolita</u>, miró por todas partes pero no vio <u>a Lolita</u>. Al cabo de media hora Lolita llegó. Luis tenía el libro sobre la mesa, pero no dio <u>el libro</u> <u>a Lolita</u>. Había escrito una carta <u>a Lolita</u>. Dio <u>la carta</u> <u>a Lolita</u>. Salió sin saludar <u>a Lolita</u> y fue al cine solo.

2 Lee la carta y sustituye las palabras subrayadas por los pronombres personales correspondientes.

Muy señor mío:

Escribo <u>a usted</u> para pedir <u>a usted</u> el puesto de trabajo que ofrece en su anuncio. Vi <u>el anuncio</u> en el periódico del lunes. ¿Puede enviar <u>a mí</u> la información necesaria? Enviaré mi currículum por correo, enviaré <u>mi currículum</u> a su secretaria y, si no importa <u>a usted</u>, llamaré <u>a su secretaria</u> para preguntar <u>a su secretaria</u> más detalles sobre el puesto.

Saludo <u>a usted</u> atentamente

---

3 a Escribe de nuevo la carta de Actividad 2 pero ahora dirigiéndola a varias personas (recuerda cambiar los pronombres).
Muy señores míos:

b Ahora dirígela a una mujer.
Muy señora mía:

Sección C *Gramática*

1 Contesta la pregunta sustituyendo el nombre subrayado por el pronombre personal.

1 ¿Invitaste a <u>tus primas</u> a la fiesta?
Sí, las invité.

2 ¿Viste <u>a Pedro</u> ayer?

....

3 ¿Compraste <u>el periódico</u>?

....

4 ¿Encontraste <u>a tus hijos</u>?

....

5 ¿Devolviste <u>la cartera</u> que encontraste?

6 ¿Viste <u>a María</u> en el mercado?

....

7 ¿Pagaste el vestido <u>a la dependienta</u>?

....

8 ¿Dieron el empleo <u>a Juan</u>?

....

9 ¿Llamaste <u>a tus amigos</u> anoche?

....

2 Sustituye todos los nombres de cada frase por pronombres personales.

1 ¿Diste la carta a tu hermana?
Sí, se la di.

2 ¿Daremos el puesto a este candidato?

....

3 ¿Escribiste el informe para el jefe?

....

4 ¿Compraste los zapatos para tu hijo?

....

5 ¿Entregaste el proyecto a los directores?

....

6 ¿Conseguiste las entradas para tus amigas?

....

7 ¿Enviaste tu nueva dirección a tus primos?

....

Secciones D y E *Actividades*

1 Pon en orden las frases

1 años / dos / trabajo / misma / hace / empresa / que / en / la

....

2 hace / vivo / tres / aquí / desde / años

....

3 casada / meses / hace / está / desde / dos

....

4 diez / años / vivimos / casa / en / esta / hace / que

....

5 dos / desde / novios / somos / años / hace

....

6 seis / mi / a / hace / conozco / vecino / meses / que /

....

2 Mira los dibujos y escribe la historia de Ana.

Ejemplo: Hace diez años que Ana fue a vivir a Barcelona.

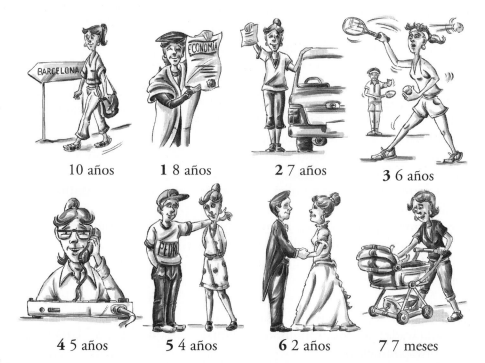

10 años   **1** 8 años   **2** 7 años   **3** 6 años

4 5 años   **5** 4 años   **6** 2 años   **7** 7 meses

Secciones D y E *Gramática*

1 Elige **desde** o (**desde**) **hace**.

1 Vivo aquí .... 1998.
2 Mi hijo estudia en ese instituto ....
   dos meses.
3 Ha adelgazado mucho .... que estuvo
   enferma.
4 No he visto a mi hermano .... su
   cumpleaños.
5 Vamos de vacaciones a la misma playa
   .... varios años
6 Como en el mismo restaurante .... el
   año pasado.
7 Está casado .... muchos años.
8 Tengo este trabajo .... el seis de
   enero.
9 Trabajan en la misma empresa ....
   más de quince años.
10 No voy a su casa .... que nos
   enfadamos.

2 Transforma las frases que has escrito en
Actividad 2 de la Sección D
(**Actividades**).

Ejemplo: Hace diez años que Ana fue a
vivir a Barcelona. ➡ Ana fue a vivir a
Barcelona hace diez años.

3 Ahora transforma las mismas frases usando
el presente (deberás cambiar algunas
palabras).

Ejemplo: Hace diez años que Ana fue a
vivir a Barcelona. ➡ Hace diez años que
Ana vive en Barcelona.

Autoevaluación

Ya sabes . . .

decir cuál es tu profesión y en qué consiste
(y otras profesiones).

leer y comprender anuncios de trabajo.

escribir cartas formales de trabajo.

usar los pronombres personales.

usar expresiones de tiempo con **hace** (**que**) y
desde hace en presente y en pasado.

3

¿Qué harás?

Secciones A y B *Actividades*

1 Estas personas hablan de un posible futuro. Une las frases de las dos listas.

Ejemplo: **1** Si saco buenas notas + **e** iré a la universidad.

Lista A
1 Si saco buenas notas
2 Si hago una buena entrevista
3 Si llueve
4 Si no vienes
5 Si me dan el trabajo
6 Si bebes más
7 Si no comes
8 Si no llegan a tiempo

Lista B
a tendrás hambre.
b no saldremos.
c ganaré mucho más.
d no podré ayudarte.
e iré a la universidad.
f no verán la película.
g no podrás conducir.
h me darán el trabajo.

2 Lee la información sobre México en la página siguiente encontrada en un folleto de viajes. ¿A qué ciudad(es) vas para . . . ?

1 comprar ropa   Taxco..............
2 practicar deportes ....

3 realizar viajes de placer por el mar
....
4 comprar objetos para el hogar
....
5 subir a una cima muy alta
....
6 trabajar para la industria del metal
....
7 ver animales y plantas de la selva
....
8 ver las maravillas submarinas
....
9 viajar en barco ....
10 visitar monumentos religiosos cristianos
....
11 ir a unas playas internacionalmente conocidas ....
12 bailar y divertirte ....
13 beber y comer productos típicos de la zona
....
14 comerciar con una ciudad marítima
....
15 comprar joyas y objetos típicos
....
16 estudiar si eres artista ....
17 hacer fotos de edificios de la época española ....
18 hacer negocios ....
19 visitar ruinas precolombinas
....
20 nadar en el mar ....
21 ir a los mercados ....

DE VIAJE POR MÉXICO

Acapulco

Ciudad situada en la costa del Pacífico, es uno de los lugares turísticos más famosos del mundo, con sus maravillosas playas de arena fina y una infinidad de actividades para el turista. Tiene grandes y modernos hoteles y restaurantes.

Taxco

Está en el sur de México, en el estado de Guerrero. Son famosas sus minas de plata, el acero, el cobre y las piedras semipreciosas. Las principales industrias de la localidad son la joyería de plata y otras actividades artesanas. También se producen textiles y muebles. Tiene una famosa escuela de arte.

Oaxaca de Juárez

Es una ciudad con un bello estilo colonial. Los edificios más representativos de la ciudad son la iglesia del convento de Santo Domingo del siglo XVII, y la catedral, construida en el siglo XVIII. En Oaxaca se celebra la famosa fiesta de la Guelaguetza, a finales de julio, con fabulosos espectáculos de música, danza y cantos. Esta fiesta tiene su origen en celebraciones de los tiempos prehispánicos.

Yum Balam

Zona situada en la parte nororiental de la península de Yucatán, al sureste de México, es un área de protección de flora y fauna. Tiene un clima cálido y húmedo, con lluvias durante todo el año. En esta zona hay selvas y se encuentran animales como el jaguar, el puma o el mono araña.

Malinalco

Es una ciudad que pertenece al estado de México. Su clima es templado y en la zona se produce café, caña de azúcar y frutas de tierra templada y tropical. En esta zona se hallan también ruinas prehispánicas.

Cuernavaca

Tiene un carácter principalmente turístico y comercial, con grandes y famosos mercados. También tiene actividad agrícola e industrial. En la zona se encuentra el templo pirámide azteca de Teopanzolco.

Durango

Es un importante centro minero, dedicado a la extracción de hierro. Es, además, importante nudo de comunicaciones, pues enlaza la región del interior con la costa del Pacífico, centro manufacturero, comercial y turístico.

El pico de Orizaba o Citlaltépetl

Es la cumbre más elevada de México, y se encuentra en el estado de Veracruz. De origen volcánico, está situado por encima del nivel de nieves perpetuas, a 5.743 m de altitud. La zona es un parque nacional.

Puerto Vallarta

Situada en el estado de Jalisco, es una zona muy turística en la que se puede practicar el senderismo y la pesca y una variedad de paracaidismo 'acuático' con lancha. Es también un lugar ideal para hacer excursiones en barco a las islas cercanas.

Tulum

Fue una de las ciudades mayas más importantes. Está situada en la costa noroeste de la península de Yucatán, México. Las ruinas de ciudades como Tulum revelan aspectos fascinantes de la cultura maya.

Veracruz

Situada en la costa del golfo de México, es el principal puerto del país. Su actividad económica es de gran importancia gracias a su situación geográfica.

Isla Mujeres

Situada en el Mar Caribe, tiene un clima cálido subhúmedo. Es una zona de arrecifes con una gran abundancia de peces y algas. En esta zona se puede practicar el buceo y hacer recorridos en lancha por los arrecifes.

3 Mira los símbolos de los servicios que ofrece un camping y busca en la sopa de letras las palabras que corresponden a cada uno.

```
T  B  T  F  Y  N  W  M  H  X  C  E
L  P  L  A  N  C  H  A  V  P  A  C
D  A  M  R  L  M  X  L  L  E  R  A
Q  P  V  M  Y  L  T  G  K  L  A  J
V  T  S  A  Z  U  E  R  G  U  V  A
F  C  P  C  N  B  G  R  F  Q  A  F
O  O  U  I  A  D  I  J  E  U  N  U
R  R  I  A  J  K  E  O  K  E  A  E
F  R  E  G  A  D  E  R  O  R  S  R
N  E  N  A  H  T  D  Q  I  I  U  T
S  O  Z  P  I  S  C  I  N  A  C  E
E  S  G  A  S  O  L  I  N  E  R  A
```

Secciones A y B *Gramática*

1 Usa las frases de Actividad 2 (**Actividades**) para escribir frases (de **1** a **6** en singular, de **7** a **10** en plural).

1 Taxco
   Si voy a Taxco compraré ropa.
2 Puerto Vallarta
   ....
3 Isla Mujeres
   ....
4 Taxco
   ....
5 Pico Orizaba
   ....
6 Durango
   ....
7 Yum Balam
   ....
8 Isla Mujeres
   ....
9 Puerto Vallarta
   ....
10 Oaxaca
   ....
11 Acapulco
   ....

2 Completa los espacios en blanco que hay en la carta. Si quieres puedes usar los verbos que hay en el cuadro y ponerlos en la forma correspondiente.

estar (x 3)   tener (x 2)   poder (x 2)
hacer (x 2)   llegar   bañar   querer
ir (x 3)   ver   llamar   comprar   dar
cenar   quedar   alojar

Querido amigo:
Creo que dentro de unos días 1 ....
un viaje de negocios a España. Si
2 .... a Barcelona te
3 .... para vernos y pasar algún
rato juntos.
Si me 4 .... bastante dinero para
gastos me 5 .... en un hotel muy
bueno que hay cerca del puerto y así
6 .... cerca de tu casa.
Seguramente 7 .... por la mañana
y si 8 .... libre hasta la tarde,
9 .... comer juntos a mediodía. Si
10 .... que ir directamente a la
oficina nos 11 .... por la noche.
Si 12 .... libre el fin de semana
completo, 13 .... al pueblo a ver a
mis tíos. Si 14 .... buen tiempo me
15 .... en la playa y me
16 .... un par de noches en casa
de mis tíos.
¿17 .... venir conmigo si 18
.... ? A mis tíos les gustaría verte.
Si 19 .... juntos al pueblo, una
noche 20 .... en el restaurante
Vallés que nos gusta tanto. Si
21 .... abierta la bodega
22 .... unas botellas de vino para
llevarme a la ciudad.

Secciones C, D y E *Actividades*

1 Lee las descripciones de muebles y objetos
que puedes encontrar en un apartamento y
di qué mueble u objeto es. Si quieres
puedes mirar el cuadro de abajo para
ayudarte.

1 Sirve para sentarse más de una persona y
normalmente lo ponemos en el salón.
....

2 Sirve para guardar los libros.
....

3 Sirve para guardar la ropa y se encuentra
en el dormitorio. ....

4 Sirve para sentarse una persona para ver la
televisión o descansar. ....

5 Sirve para llevar platos, tazas, etc. de un
cuarto a otro. ....

6 Da luz al cuarto. ....

7 Se puede hacer los deberes o escribir cartas
encima de este mueble. ....

8 Comemos en este mueble.
....

9 Sirve para sentarse una persona a comer.
....

10 Este mueble se encuentra al lado de la
cama. ....

11 Colgamos los trajes, los vestidos y las
chaquetas aquí. ....

el sofá   el armario   la silla   el sillón
la mesa   la mesilla   la lámpara
la bandeja   el escritorio   el colgador
la estantería

2 Une las dos partes de cada frase.

Lista A
1 Si no tienes paraguas
2 Si no traen sus libros
3 Si tu coche está en el taller
4 Si no sabe usar mi ordenador
5 Si ha terminado de limpiar la habitación
6 Si ha perdido mis notas

Lista B
a podrá limpiar la mía.
b me tendrá que prestar las suyas.
c podrás usar el mío.
d podrás conducir el nuestro.
e tendrá que usar el suyo.
f tendrán que usar los nuestros.

Secciones C, D y E *Gramática*

1 Transforma las frases.

1 Éstos son mis libros. Estos libros son míos.

2 Ésta es mi cartera. ....

3 Éste es vuestro coche. ....

4 Éstas son tus casas. ....

5 Éste es mi bolígrafo. ....

6 Éstos son sus discos. ....

7 Éstas son nuestras bolsas. ....

2 Transforma las frases.

1 esta cartera (de ella) Esta cartera es la suya.

2 este cuadro (de nosotros) ....

3 estas gafas (de Pedro) ....

4 este coche (de mi padre) ....

5 estos libros (de vosotros) ....

6 esta blusa (de María) ....

7 estos billetes (de mis padres) ....

8 estos discos (de ti) ....

Autoevaluación

Ya sabes . . .

hablar del futuro.

hacer planes, especialmente para viajar.

hablar de las ventajas y las desventajas de los distintos tipos de vacaciones.

describir una casa o un apartamento.

usar los pronombres posesivos.

4

Se prohíbe aparcar

Secciones A y B *Actividades*

1 Elige el verbo adecuado del cuadro para cada frase usando la forma **se** en el tiempo correspondiente.

> prohibir   pedir   recompensar   poder
> deber   alquilar   confeccionar   poner
> llegar   vender   atascar   pisar
> modernizar   perder   permitir   comer
> celebrar   arreglar

1 .... casa en isla paradisíaca para el verano. .... a ella por helicóptero.

2 .... apartamento en primera línea de playa. .... recientemente.

3 .... pisar el césped del parque. .... una multa de 100 euros si ....

4 En el autobús no .... hablar al conductor.

5 Visitante: en esta catedral .... guardar silencio cuando .... una ceremonia.

6 Ayer .... pulsera en la calle Mayor. .... su devolución.

7 .... trajes de caballero y .... ropa.

8 No .... fumar mientras ....

9 No .... abrir la puerta porque está rota y ....

2 Las partes de un coche. Haz el crucigrama.

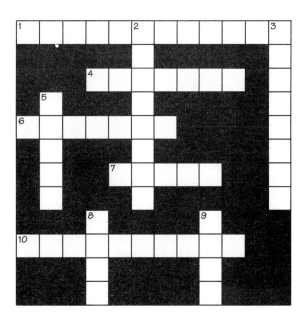

Horizontal

1 Se usa para indicar a qué dirección queremos ir.

4 .... de cambio.

6 Es redondo y controla la dirección del coche.

7 Sirve para parar el coche.

10 Protege al conductor del viento.

Vertical

2 Aquí metemos el equipaje.

3 Se aprieta con el pie para cambiar las marchas.

5 Hace funcionar el coche.

8 Se usa por la noche.

9 Abrimos esto para ver el no. 5.

Secciones A y B *Gramática*

1 Transforma las frases.

1 Aquí no está permitido nadar.
Aquí no se nada.

2 En este parque no está permitido entrar de noche.
....

3 Aquí está prohibido construir.
....

4 En el bosque no está permitido encender fuego.
....

5 Por la autopista no está permitido ir en bicicleta.
....

6 Por la ciudad no está permitido conducir a tanta velocidad.
....

7 Aquí está prohibido tirar basura.
....

2 Estas frases presentan tres clases diferentes de **se** (A, B y C). Di a qué tipo corresponde cada frase.

A pronombre personal
B pronombre reflexivo
C **se** impersonal

1 Pepe se levanta todos los días muy pronto.
....

2 Este trabajo se lo dieron a Juan ayer.
....

3 En esta ciudad se conduce muy mal.
....

4 El paquete no se lo hemos enviado aún.
....

5 En esta peluquería se peina muy bien a la gente. ....

6 Se acostó muy tarde anoche. ....

7 Se fuma mucho en este país. ....

8 Ana se ha vestido siempre con ropa de marca. ....

9 ¿Se lo habéis dicho ya? ....

10 Se ha hecho un parque nuevo en la zona.
....

11 Ana se peina la melena. ....

Secciones C, D y E *Actividades*

1 Lee tu agenda. En algunas horas faltan todas o algunas actividades que encontrarás en el cuadro. Ponlas en la hora correspondiente.

---

ducharme / acostar a los niños / cerrar la tienda / trabajar hasta las 7 sin descansar / ponerme el traje azul / descansar y café / hablar de negocios / sentarme por fin / comprar el periódico / volver a la tienda / leer el periódico / dar el desayuno a los niños / volver a casa / empezar a servir a los clientes

---

7.00	levantarme, ...
7.15	vestirme, ...
7.30	desayunar bien
7.45	hacer el desayuno para los niños
8.05	....
8.35	llevar a los niños al colegio
8.45	....
8.50	tomar el metro, sentarme, ...
9.20	llegar a la tienda y preparar las cosas
9.25	abrir la tienda
9.30	....
10.55	....
12.10	trabajar en la caja
13.30	....
13.45	comer en el restaurante de la esquina
14.30	tomar café con Carlos, ...
15.30	hacer unas compras
16.00	.... , ordenarlo todo
16.35	abrir la tienda, ...
17.10	llamar a los niños
19.00	cerrar la tienda, ...
20.05	.... , leerles un cuento
21.00	.... , ver la tele
22.30	leer los e-mails y ponerme a contestar los e-mails de los amigos

2 Lee la agenda de Actividad 1 y escribe un e-mail a tu amigo/a contándole lo que has hecho hoy. Escribe las horas en palabras para repasarlas.

Ejemplo: A las siete me he levantado . . .

Secciones C, D y E *Gramática*

1 Escribe diálogos. Usa **ya** o **aún no/todavía no**.

1 ¿(vosotros) / fregar los platos? Sí.
¿Habéis fregado ya los platos? —Sí, ya hemos fregado los platos.

2 ¿(tú) / hacer las camas? No.
....

3 ¿(ellos) / planchar la ropa? No.
....

4 ¿(vosotras) / hacer la compra? Sí.
....

5 ¿(ella) / limpiar el polvo? No.
....

6 ¿(ustedes) / lavar el coche? Sí.
....

7 ¿(tú) / poner en orden tus papeles? No.
....

8 ¿(usted) / escribir la carta? Sí.
....

2 Escribe los diálogos de Actividad 1, pero pon **ya** y **aún** al final.

Ejemplo: **1** ¿Habéis fregado los platos ya? —Sí, hemos fregado los platos ya.

3 Construye diálogos, usando las claves.

1 ¿(vosotros) ir /Sevilla? No.
¿Habéis ido a Sevilla alguna vez? —No, no hemos ido a Sevilla nunca.

2 ¿(tú) beber vino de Rioja? Sí.
¿Has bebido vino de Rioja alguna vez? —Sí, he bebido vino de Rioja algunas veces.

3 ¿(él) probar / jamón serrano? No.
....

4 ¿(tú) tomar / tequila? Sí.
....

5 ¿(vosotros) visitar / Museo del Prado? No.
....

6 ¿(usted) actuar / televisión? Sí.
....

7 ¿(ellos) decir mentiras? No.
....

8 ¿(ella) escribir novelas de misterio? No.
....

4 **Alguna vez**, **nunca** y **algunas veces** pueden ponerse en diferentes partes de la frase. Transforma las preguntas y respuestas de Actividad 3.

Ejemplos:
1 ¿Habéis ido a Sevilla alguna vez? ➜
¿Habéis ido alguna vez a Sevilla?
—No, no hemos ido nunca a Sevilla.
2 ¿Has bebido vino de Rioja alguna vez?
➜ ¿Has bebido alguna vez vino de Rioja?
—Sí, he bebido algunas veces vino de Rioja.

5 Ahora transforma de nuevo las respuestas de los mismos diálogos.

Ejemplos:
1 No, no hemos ido a Sevilla nunca. ➜ *No, nunca hemos ido a Sevilla.*
2 Sí, he bebido vino de Rioja algunas veces. ➜ *Sí, algunas veces he bebido vino de Rioja.*

Autoevaluación

Ya sabes . . .

decir lo que se puede o se prohíbe hacer.

hablar de coches: en el taller de reparaciones, alquilar un coche.

hablar de lo que ha pasado (hoy, esta semana, este mes, este año, recientemente) y de lo que has hecho tú y lo que han hecho los demás.

usar frases con el pronombre **se** impersonal.

usar el pretérito perfecto en contraste con el pretérito indefinido.

usar **ya**, **aún (no)**, **todavía (no)**.

Ahora y antes

Secciones A y B *Actividades*

1 María estuvo en casa de unos amigos de
sus padres durante sus vacaciones,
ayudándoles en los trabajos de la casa y
con los niños. Mira los dibujos y di lo que
hacía María todos los días.

Ejemplo: María se levantaba a las siete.

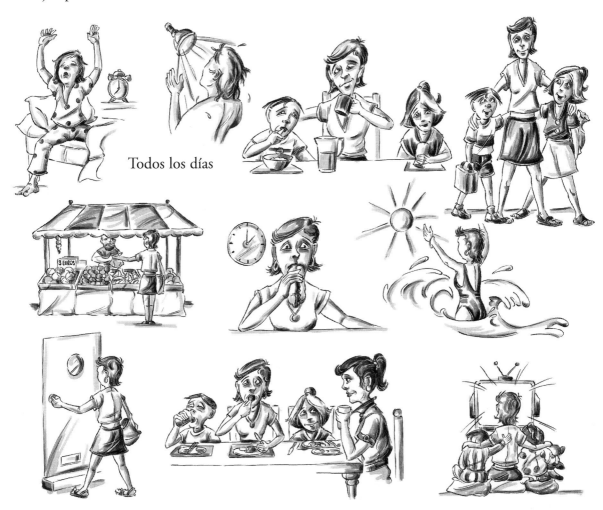

Todos los días

2 Une las dos partes de estas frases sacadas de un artículo sobre los niños y niñas de hoy y escribe frases completas. Recuerda que tienes que poner el verbo en la forma correspondiente.

1 Ahora los niños se quedan siempre en casa, antes . . .
2 Ahora están siempre solos, antes . . .
3 Ahora siempre están viendo la televisión, antes . . .
4 Ahora juegan solos, antes . . .
5 Ahora tienen ordenadores y juguetes sofisticados, antes . . .
6 Ahora van al parque, antes . . .
7 Ahora suben a los toboganes y columpios, antes . . .
8 Ahora van a la piscina, antes . . .
9 Ahora van a clases de natación, antes . . .
10 Ahora no hacen deporte, antes . . .
11 Ahora tienen actividades organizadas, antes . . .
12 Ahora no tienen libertad, antes . . .
13 Ahora se aburren de todo, antes . . .

a (hacer) mucho deporte.
b (inventar) sus juegos.
c (tener) mucha libertad.
d (ir) a la playa y (hacer) castillos de arena.
e siempre (estar) con otros niños.
f (ir) al campo.
g (jugar) en grupo.
h (jugar) en la calle.
i (nadar) y (bucear) libremente.
j no (aburrirse) nunca.
k (subir) a los árboles.
l (tener) juguetes de madera y trapo.
m (salir) al cine y a pasear.

Secciones A y B *Gramática*

1 Transforma las frases. Usa las claves.

1 (yo – vivir) ahora / Barcelona / antes / Málaga

Ahora vivo en Barcelona, pero antes vivía en Málaga.

2 (mis hijas – estudiar) ahora / universidad / antes / instituto
....

3 (mi padre – trabajar) ahora / Madrid / antes / Bilbao
....

4 (mis amigos – jugar al fútbol) ahora / los domingos / antes / los sábados
....

5 (yo – estudiar) ahora / informática / antes / estudiar historia
....

6 (mi hermano – hacer) ahora / ejercicio / antes / no hacer ejercicio
....

7 (mi mujer y yo – viajar) ahora / a muchos sitios / antes / no viajar
....

8 (nuestros hijos – ir) ahora / la costa los veranos / antes / las montañas
....

9 (nosotros – comer) ahora / en casa / antes / en los restaurantes
....

2 Haz las preguntas para esta respuestas.

1 Yo antes vivía en Madrid.
....
2 De niños jugábamos a subir a los árboles.
....
3 En las vacaciones íbamos a la montaña.
....
4 Mi hijo iba antes a un colegio cerca de casa.
....
5 Sí, antes iba a trabajar en metro, pero ahora voy en coche.
....
6 Sí, teníamos vacaciones muy largas.
....

Secciones C, D y E *Actividades*

1 Une cada frase de la Lista A con su correspondiente de la Lista B y escribe los verbos (entre paréntesis) en la forma correcta.

Lista A

1 Ayer nosotros (ir) al cine y

2 Antes Ana (viajar) mucho pero

3 En 1989 mis padres (comprar) una casa en el campo y

4 Mi madre siempre (comprar) la verdura en la misma tienda, pero

5 Todos los veranos mis hermanos y yo (ir) a casa de mi abuela, pero

6 Antes nosotros (ver) a Juan muy a menudo, pero

7 Nosotros no (conocer) a Juan en la fiesta; ya

8 Antes nosotros (hacer) las compras en el supermercado, pero

9 Papá siempre (traer) muchos regalos de sus viajes, pero

Lista B

a (vivir) allí hasta 1998.

b el mes pasado la tienda (cerrar).

c ella (morir) hace un año.

d le (conocer) antes.

e no (traer) nada de su último viaje.

f (ver) una buena película.

g solamente (ver) a su mujer un par de veces.

h sólo (ir) una vez a Inglaterra.

i un par de veces (hacer) las compras en el mercado.

2 Escribe una carta a tu amiga española contándole lo que hacías durante las vacaciones y lo que hiciste un día especial.

Querida amiga:

En las vacaciones lo pasamos muy bien. Todos los días: levantarse muy tarde / desayunar: terraza del apartamento / playa / sol / aperitivo / restaurante / tarde: siesta / nadar un rato: piscina del apartamento / tenis / dar paseo / compras: ropas y regalos / beber algo en un bar / cenar rápidamente / arreglarse / discoteca / bailar casi toda la noche / acostarse: cinco mañana

Un día: levantarse: 6.30 mañana / excursión / montaña / hacer 20 km a pie / ver lagos y caballos salvajes / visitar pueblo antiguo / ver iglesia siglo XII / bañarse en el río / comer en el campo / volver muy cansados / acostarse: diez noche

3 Tu amiga va de vacaciones y en su maleta lleva los siguientes objetos. Di para qué los lleva.

1 loción contra insectos
Lleva loción contra insectos para protegerse de las picaduras de los insectos.

2 bronceador
....

3 un traje de baño
....

4 un paraguas
....

5 un vestido de noche
....

6 gafas de sol
....

7 un sombrero
....

8 una novela
....

9 una toalla
....

Secciones C, D y E *Gramática*

1 Elige un verbo del cuadro y ponlo en la forma correspondiente del pasado para completar las frases.

tener	discutir	comer	hacer	ir
comprar	salir	ganar	estar	tener

1 Yo .... en este restaurante a menudo.

2 El verano pasado nosotros .... a la playa.

3 Normalmente mi madre .... poco de casa.

4 Tú .... en África una vez, ¿verdad?

5 El mes pasado mis hermanos .... un accidente con la moto.

6 Sus padres .... a menudo.

7 El año pasado nuestros amigos .... mucho dinero con la lotería.

8 Mi hermano .... problemas con las matemáticas.

9 Juan no .... nunca amigos en aquella ciudad.

10 María, ¿................... el abrigo negro o el marrón?

2 Contesta las preguntas.

1 Trabajabas todos los días en esa oficina, ¿verdad?
–Sí, pero varias semanas en casa.
Sí, trabajaba todos los días en esa oficina, pero varias semanas trabajé en casa.

2 Nadaban siempre en la piscina, ¿verdad?
–Sí, pero dos días en el lago.
....

3 Jugabais a menudo al baloncesto, ¿verdad?
–Sí, pero algunos días fútbol.
....

4 Te levantabas generalmente muy tarde, ¿verdad?
–Sí, pero todo el mes pasado muy temprano.
....

5 Normalmente ibas al trabajo en bicicleta, ¿verdad?
–Sí, pero la semana pasada en coche.
....

6 Tus hermanos tenían mucho trabajo, ¿verdad?
–Sí, pero el año pasado casi nada de trabajo.
....

7 Antes hacía mucho calor en agosto, ¿verdad?
–Sí, pero en el pasado mes de agosto bastante fresco.
....

8 ¿Tus padres estaban en el pueblo todos los fines de semana, ¿verdad?
–Sí, pero el mes pasado en casa todos los fines de semana.
....

Autoevaluación

Ya sabes . . .

hablar de lo que hacías antes y ahora, y lo que hacían otros.

describir cómo era tu vida y la de los demás antes comparada con ahora.

hablar de lo que hacías regularmente (todos los días, a menudo) en contraste con lo que hiciste una vez o un número determinado de veces.

usar vocabulario relacionado con el camping y las excursiones.

decir para qué se usa o sirve algo y expresar finalidad.

usar el pretérito imperfecto (antes) en contraste con ahora y también en contraste con el pretérito indefinido (todos los días iba a la oficina/ayer fui a la oficina).

6

¿Cuánto tiempo hace?

Sección A *Actividades*

1 Tu amigo estuvo en España, haciendo un curso de español. Hazle unas preguntas. Éstas son sus respuestas.

1 Un mes.
¿Cuánto tiempo estuviste?

2 En un hotel.
....

3 ¿El hotel? En el norte de España, en los Pirineos.
....

4 Muy buen tiempo todos los días.
....

5 ¿El hotel? ¡Muy bonito y muy antiguo!
....

6 Sí, muy grande.
....

7 Doscientas habitaciones por lo menos.
....

8 La mayoría de las habitaciones, dobles, con todo tipo de comodidades.
....

9 Pues . . . piscina, jardín, bar, restaurantes . . .
....

10 Tres restaurantes, uno local y dos internacionales.
....

11 ¿La comida? Excelente.
....

12 Comida internacional, pastas, arroces . . .
....

13 Sí, el curso, muy interesante.
....

14 Seis horas de clase cada día.
....

15 ¿En mi tiempo libre? Pues, paseos, excursiones.
....

2 Lee las respuestas de Actividad 1 y escribe frases completas con ellas.

Ejemplo: En un hotel. ➔ Me alojé en un hotel/Estaba en un hotel.

Sección A *Gramática*

1 Escribe los verbos que faltan en la carta (en presente).

Mi ciudad 1 .... en el norte de España, se llama Laredo y 2 .... en la provincia de Santander. Mi ciudad 3 .... muy bonita, 4 .... una ciudad pequeña y 5 .... al lado del mar. En verano 6 .... muchos turistas porque 7 .... unas playas preciosas. La mayoría de los edificios 8 .... antiguos y 9 .... muchas tiendas con objetos de regalo, ropa y antigüedades. Laredo 10 .... restaurantes estupendos y la comida 11 .... excelente. 12 .... mucho pescado y marisco. Los alrededores 13 .... paisajes maravillosos y el clima 14 .... muy bueno, los veranos 15 .... frescos y en invierno no 16 .... mucho frío.

2 Pon el texto anterior en el pasado desde **Mi ciudad es muy bonita**.

Empieza: Antes mi ciudad era muy bonita . . .

3 Pon el verbo correspondiente en la forma correcta del pasado para completar las frases. Usa **tener**, **estar**, **ser** o **haber**.

1 En mi jardín .... muchas rosas.

2 La ciudad .... muy lejos y no pudimos ir.

3 La casa .... de madera y de piedra.

4 La puerta .... rota.

5 Las ventanas no .... cristales.

6 No .... carretera, sino un camino.

7 El camino .... muchas piedras.

8 En la casa .... tres pisos.

9 Su apartamento .... muy bonito.

Secciones B y C *Actividades*

1 Ayer unos ladrones te robaron la mochila con varios objetos. Hoy vas a la policía para denunciar el robo. Mira los dibujos y contesta las preguntas del policía.

seda, azul

piel, negra

piel, negros

blancas

lana, gris

1 ¿Cuántos ladrones había?

....

2 ¿Cómo eran los ladrones?

....

3 ¿Qué te robaron?

....

4 ¿Cómo era la mochila?

....

5 ¿Qué había en la mochila?

....

2 Lee este artículo sobre María, una actriz venezolana y escribe **ser** o **estar** en la forma correspondiente (del pasado). Atención: no hay espacios para los verbos y tienes que ponerlos en el lugar correspondiente.

María **Martínez** actriz. muy abierta y simpática, pero antes de actuar siempre seria y pensativa. No hablaba con nadie y concentrada en su papel. Su voz un poco ronca, pero también muy cálida. Su padre también actor y por eso tuvo mucha influencia en su personalidad de actriz. Su familia muy importante para ella. casada con un actor y sus hijos siempre con ella cuando pequeños. De físico no muy atractiva, pero su cara muy especial, de mirada penetrante. bastante alta y aunque cuando niña un poco gordita, de mayor bastante delgada para su altura. muy elegante, su ropa siempre muy especial. El carácter de María fuerte, pero nunca enfadada. Sus papeles siempre de mujer fuerte y fría, pero su personalidad cálida y amable. Normalmente bastante activa e inquieta, incluso bastante nerviosa, pero, eso sí, cuando actuaba nunca nerviosa. una actriz fantástica que enamorada de su público. Y el público loco por ella.

3 Lee esta información sacada del texto sobre María y haz las preguntas correspondientes.

1 Era muy abierta y simpática.
¿Cómo era la personalidad de María?

2 Estaba seria y pensativa.

....

3 Su voz era ronca, pero cálida.

....

4 Su padre era actor.

....

5 Casada.

....

6 Con un actor.

....

7 Sí, dos hijos.

....

8 Su cara era muy especial y era bastante alta.

....

9 Sus papeles eran de mujer fuerte.

....

10 ¿Nerviosa cuando actuaba? Nunca.

....

11 El público estaba loco por ella.

....

Secciones B y C *Gramática*

1 Escribir las frases completas. Atención a los puntos siguientes:
- Hay que poner los verbos **ser** o **estar** en la forma correcta.
- Los adjetivos están en masculino singular; hay que ponerlos en la forma correspondiente.
- Hay que añadir el artículo – **el**, **la**, **los**, **las** – en el lugar necesario.

1 amigos / muy leal
Los amigos son muy leales.

2 Joaquín y Marta / español

....

3 vosotros / muy inteligente

....

4 jardín / muy bien arreglado

....

5 yo / soltero, pero mi hermana / viudo

....

6 sus nietos / encantador

....

7 tu hijo / muy educado

....

8 habitación / muy grande, pero / muy
   desordenado

....

9 sala / muy acogedor

....

10 sus tíos / irlandés

....

11 tus hijos / muy egoísta

....

12 cuadros de esta pintora / excelente, pero /
    muy caro

....

2 Escribe **ser** o **estar** en la forma
    correspondiente en los espacios en blanco.

1 Ayer Juana .... muy triste
   porque su hermano tuvo un accidente.
2 Antes Pedro .... muy
   amable, pero también ....
   bastante reservado.
3 Antes mi padre .... enfadado
   con mi hermana porque no estudiaba
   nada.
4 El año pasado Marcos ....
   enfermo y no tenía energía,
   .... muy débil.
5 Mi hijo Pedro, cuando ....
   muy pequeño, ... muy
   gracioso.
6 Yo .... bastante deprimida
   antes, no sé que me pasaba.
7 No sé que os pasaba ayer, pero
   .... muy serios.

8 Cuando tú .... niño,
   .... muy difícil,
   .... muy maleducado y
   siempre contestabas mal.
9 El mes pasado ....
   bronceados porque fuimos a la playa.
10 Antes mi madre .... muy
    tranquila, nunca se molestaba por nada,
    pero ahora siempre .... muy
    nerviosa.

Secciones D y E *Actividades*

1 Lee la carta que Luisa escribió a su amiga
    Ana hablándole de su nueva casa. Di si las
    frases siguientes son verdaderas o falsas y
    explica por qué.

1 El piso de Luisa estaba fuera de la ciudad.
   ....
2 La casa tiene mucho espacio por fuera.
   ....
3 Luisa puede usar la piscina solamente en
   verano. ....
4 Cuando vivía en el piso debía tomar un
   autobús para ir al centro. ....
5 Ahora va en coche al centro durante el día.
   ....
6 En la ciudad hay problemas de
   aparcamiento de día. ....
7 El autobús sale muy a menudo y no hay
   que esperar más de un cuarto de hora.
   ....
8 Luisa ya puede conducir sola. ....
9 El piso tenía cuatro dormitorios menos
   que la casa. ....
10 Los padres de Luisa tienen cuatro hijos,
    tres chicos y una chica. ....
11 Luisa tenía su propio dormitorio. ....
12 En el piso los chicos tenían que compartir
    todos la misma habitación. ....
13 El padre de Luisa ganaba más dinero y por
    eso compraron una casa. ....
14 La casa es bastante antigua y hay que
    hacer reparaciones. ....

Querida Ana:

Por fin me he cambiado de casa. La semana pasada dejamos por fin el piso de la calle Gijón y nos trasladamos a una casa mucho más grande y bonita en las afueras de la ciudad. Es una casa tipo chalet con seis dormitorios y con un gran jardín y lo mejor ¡con una piscina maravillosa! donde puedo nadar casi todo el año, porque ya sabes que en mi ciudad hace buen tiempo casi siempre. El piso me gustaba bastante porque estaba en el centro y siempre iba andando, y tenía la ventaja de que podía salir por la noche y no tenía problemas para volver a casa porque además siempre encontraba taxis. La casa tiene el inconveniente de que cuando quiero ir al centro necesito tomar un autobús o coger el coche, y la verdad es que es bastante difícil aparcar, así que tengo que ir en autobús y, como sale cada media hora de mi barrio, si pierdo uno tengo que esperar media hora hasta que sale el siguiente. Pero por la noche siempre voy al centro en coche, porque no hay tanto problema con el aparcamiento y puedo conducir yo porque ya tengo el carnet de conducir.

La verdad es que el piso era bastante pequeño para toda la familia, porque tenía sólo cuatro dormitorios y no era bastante grande para mis padres, mis cuatro hermanos y yo. Claro que yo, como soy la única chica de la familia, tenía un dormitorio para mí sola y mis hermanos tenían que compartir habitación, dos en una o los otros dos en otra.

El piso tenía bastante luz y era bonito y acogedor, pero estaba ya bastante viejo y había que hacer muchas reparaciones, así que mis padres decidieron que era mejor cambiarse y, como a mi padre le subieron el sueldo, pudieron comprar la casa. La casa es antigua, pero está muy bien ya que los dueños anteriores la arreglaron y ahora está como nueva. Así que ya puedes venir a visitarme pues tenemos mucho espacio. Hasta pronto:

Luisa

2 Mira el dibujo de esta oficina de principios del siglo XX. ¿Qué objetos no existían aún en aquella época?

Ejemplo: A principios del siglo XX no había teléfono móvil.

Secciones D y E *Gramática*

1 Elige el verbo adecuado del cuadro para cada frase y decide si va en imperfecto (descripción) o en pretérito indefinido (acción). Se puede usar algunos de los verbos más de una vez.

chocar estar funcionar haber hacer ir llegar pasar salir ser tener ver vivir

1 Antes Pepe .... mucho dinero.
2 Ayer mi madre .... un accidente.
3 Antes el niño .... muy agradable con todos.
4 Mi hermana .... de compras ayer.

5 Mi hija .... el pelo rubio cuando .... pequeña.
6 Mi hija y sus amigas .... al cine anoche y .... una película muy buena.
7 La casa donde yo .... cuando era niño, ... muy grande, pero siempre .... muy oscura porque las luces no .... nunca.
8 El coche .... contra un árbol, pero al conductor no le .... nada.
9 El parque .... lleno de flores y de pájaros y .... muchos árboles.
10 En la calle .... mucha gente porque .... buen tiempo.
11 Antes de ayer nosotros .... muchos problemas y .... tarde al trabajo.

2 Construye las frases.

1 Antes / cine / estar / enfrente / cafetería / pero / hace dos años / ponerlo / otra calle

....

2 Antes / nosotros / trabajar / poco / hasta que / venir / nuevo jefe

....

3 Desde mi terraza / antes / verse / paisaje precioso / pero / año pasado / construir / pisos / enfrente

....

4 Antes / no haber / tantas fábricas / en la ciudad / pero instalar / muchas / hace dos años

....

5 Hasta que / abrir / fábricas / la vida / ser / tranquila / pueblo

....

6 En aquella época / yo / no trabajar / y / dedicarme / cuidar / hijos

....

7 Mi jardín / estar / lleno / flores / pero / hacer / mucho calor / y / secarse

....

Autoevaluación

Ya sabes . . .

describir algo, un objeto, un lugar, en el pasado.

describir a alguien: el físico y la personalidad.

hablar de cambios: cómo era algo o alguien antes y ahora.

comparar la vida en el pasado y la vida ahora.

usar el imperfecto para la descripción y el pretérito indefinido para la acción.

usar **ser** y **estar**, en el presente y en el pasado para describir.

7

Repaso

Actividades y gramática

Lección I

1 Eres periodista. Lee los datos sobre Marta Rodríguez (personaje ficticio) y escribe la entrevista que le hiciste (usa la forma **usted**).

2 Ahora escribe un artículo sobre ella.

Empieza: *Se llama Marta Rodríguez . . .*

3 Usa la ficha de Actividad 1 para escribir algo similar sobre ti.

Ejemplo: *Yo me llamo . . . Soy de . . . Soy . . . Mi personalidad es . . . , etc.*

Nombre:	**Marta Rodríguez**	
Lugar de nacimiento:	**Sevilla**	
Fecha de nacimiento:	**1938**	
Estudios:	1956:	**Universidad Sevilla: Licenciatura en la carrera de Economía**
	1962:	**Universidad Madrid: Doctorado en Ciencias políticas**
Trabajos:	1966:	**Empleada en varias embajadas**
	1969–1976:	**Embajadora en varios países**
	1977:	**Ministra de Cultura**
	1985:	**Ejecutiva de empresa**
Familia:	1969:	**Matrimonio con Ramón García**
	1973:	**Primer hijo, Luis**
	1975:	**Segundo hijo, Juan**
	1983:	**Viuda: muerte marido en accidente**
	1988:	**segundo matrimonio con empresario**
	1990:	**divorcio**
Gustos tiempo libre:		**Política; practicar deporte: tenis; lectura: biografías de políticos; música clásica**
Personalidad:		**simpática, abierta, inteligente, prudente**

4 Lee la carta y pon los infinitivos en los tiempos correspondientes. Atención: escribe los pronombres con **gustar** y verbos similares.

Queridos amigos:

El lunes mi familia y yo (**1** volver) de vacaciones. (**2** Estar) en el norte de España durante tres semanas. (**3** Ir) en coche, pero (**4** ser) un viaje muy largo. A mí el viaje no (**5** gustar) nada, pero no (**6** ser) muy aburrido porque (**7** ir) toda la familia. Además a mi hermano no (**8** gustar) el avión. (**9** Llegar) todos al hotel muy cansados y todos (**10** ir) directamente a la cama. Creo que yo (**11** dormir) dieciocho horas seguidas. Ya (**12** saber) tú que a mí (**13** encantar) dormir. A nosotros el hotel (**14** gustar) mucho. (**15** Ser) un hotel precioso, cerca de la playa y a todos (**16** agradar) especialmente el personal del hotel. A mis hermanas (**17** gustar) mucho la piscina. (**18** Estar) en la playa, pero a mi padre (**19** gustar) más viajar y también (**20** ir) con él a visitar varios pueblos de la zona. A mis padres (**21** encantar) los monumentos. A mí también (**22** gustar), pero (**23** gustar) aún más el paisaje tan verde. Una noche (**24** ir) mis hermanos y yo a una discoteca muy buena, cerca del hotel y a mí (**25** encantar) la música que (**26** poner). La verdad (**27** ser) que, en general, a mí no (**28** divertirme) las discotecas, pero ésta (**29** gustar) mucho.

Lección 2

5 a Pedro fue a una entrevista de trabajo. Lee la lista y pon cada frase en la categoría que corresponde **A** o **B**.

A Personalidad
B Aspectos profesionales

1 Llegar puntual.
2 Siempre decir la verdad.
3 Mostrar seguridad en ti mismo.
4 Tener paciencia.
5 Ir bien arreglado.
6 Hacer preguntas abiertas sobre el puesto.
7 Evitar las críticas a tu antiguo jefe.
8 No fumar.
9 Estar relajado.
10 No ser muy informal en el trato con los entrevistadores.
11 Ponerse el traje nuevo.
12 No hablar del sueldo desde el principio.

b Su amigo Luis le hace algunas preguntas. Escribe diálogos.

Ejemplo:
1 Llegar puntual →
Luis: ¿Llegaste puntual?
Pedro: Por supuesto, llegué puntual.

6 Elige una palabra de cada una de las listas de la página siguiente para formar frases. Atención: no todas las frases necesitan **se**.

Ejemplo: **1** Ayer encontré a Juana en la calle; la saludé.

Lista A	Lista B	Lista C	Lista D
1 Ayer encontré a Juana en la calle;			comentaremos luego.
2 El domingo quiero ir al cine con Pepe;			compraré.
3 Tengo que hablar con mis padres;		le	daremos mañana.
4 Me gusta este vestido para mi hermana;		los	envié ayer.
5 El domingo pasado conocí a un chico muy simpático;	se	la	he escrito un e-mail.
6 Escribí una carta a mi madre;		las	invitaré.
7 Tenemos un regalo para Felipe y Ana;		les	llamaré mañana.
8 Ana vio a sus tías ayer por la calle;		lo	saludé.
9 Tenemos que informarle de los problemas a Sara;			saludó.
10 Susana no sabe nada;			daré la noticia mañana.

7 Escribe las preguntas y respuestas completas.

1 ¿Cuántos años / tú / conocer / María? Muchos años / 16 años
¿Cuántos años hace que conoces a María? —Hace muchos años que conozco a María/que la conozco. Conozco a María/La conozco desde hace dieciséis años.

2 ¿Cuántos años / Rosa / salir / con su novio? Bastantes años / 6 años
....

3 ¿Cuánto tiempo / vosotros / vivir / en esta casa? Pocos meses / 5 meses
....

4 ¿Cuánto / tu familia / estar / en el extranjero? Unos cuantos años / 10 o 12 años
....

5 ¿Cuánto tiempo / ellos / trabajar / en la misma empresa? Muchos años / 25 años
....

6 ¿Cuántos días / tus padres / tener / este coche? Pocos días / 10 días
....

Lección 3

8 Prepara un itinerario turístico para un grupo de visitantes que quieren visitar varias ciudades mexicanas. Usa la información.

Empieza: Día 1: Iremos a Acapulco y tomaremos el sol en . . .

Día 1: Acapulco / famosas playas / moderno hotel

Día 2: Taxco / famosas minas / joyas, ropas y muebles / escuela de arte

Día 3: Oaxaca / famosos monumentos / fiesta: bailar y cantar

Día 4: Yum Balam / las plantas y los animales salvajes, como el puma

Día 5: Malinalco / café / frutas típicas / ruinas prehispánicas

Día 6: Cuernavaca / famosos mercados / un templo pirámide

Día 7: Durango / las minas y la industria

Día 8: Pico de Orizaba / la nieve y el parque

Día 9: Puerto Vallarta / el senderismo / pescar / paracaidismo acuático / excursión en barco

Día 10: Tulum / ruinas de las ciudades mayas

Día 11: Veracruz / el puerto
Día 12: Isla Mujeres / muchos peces y algas / bucear / recorrer los alrededores en lancha

9 Contesta las preguntas.

1 ¿Cuál es su piso, el de la derecha o el de la izquierda? (el de la derecha)
El de la derecha es el suyo/El suyo es el de la derecha.

2 ¿Cuáles son tus maletas, las marrones o las negras? (las negras)
....

3 ¿Cuál es su coche, el negro o el azul? (el azul)
....

4 ¿Cuál es tu calle, la de la derecha o la de la izquierda? (la de la derecha)
....

5 ¿Cuáles son nuestros billetes, éstos o aquéllos? (aquéllos)
....

6 ¿Cuál es mi habitación, la grande o la pequeña? (la pequeña)
....

7 ¿Cuáles son los zapatos de mi hermano, los marrones o los negros? (los negros)
....

10 Da consejos a tu amigo.

1 Tengo dolor de espalda. ➔ tomar estas pastillas / estar mejor
Debes tomar pastillas. Si tomas estas pastillas estarás mejor.

2 Me duele mucho la pierna. ➔ no mover pierna / mover pierna / doler más
....

3 Tengo dolor de oído. ➔ ponerte estas gotas / doler menos
....

4 Me escuece la espalda. ➔ ponerte esta crema / no escocer
....

5 Me duele mucho la garganta. ➔ no hablar / hablar / quedarte sin voz
....

6 Tengo la gripe. ➔ quedarte cama / levantarte / ponerte peor
....

7 Estoy muy nervioso y estresado por culpa del trabajo. ➔ trabajar menos / estar más tranquilo
....

8 Estoy muy bajo de forma. ➔ hacer más ejercicio / ponerte en forma
....

Lección 4

11 Decide quién es cada persona que habla y dónde está.

1 Aquí no se puede aparcar. Allí tiene un aparcamiento.
....

2 El embrague está estropeado. ¿Para cuándo puede arreglarlo?
....

3 Ahora se mete la primera marcha.
....

4 ¿Se incluye la gasolina en el precio?
....

5 No puedo encontrar mi carnet de conducir, pero aquí tiene los documentos del coche.
....

6 Me he quedado sin gasolina, ¿puede llevarme a la gasolinera más próxima?
....

7 Ha aparcado usted mal, tengo que suspenderle.
....

8 No se debe circular en parejas, es mejor ir en fila, uno detrás de otro.
....

9 Tenemos de tres y de cinco puertas.
....

10 Hemos tenido una avería, puede enviar la grúa.

....

12 Transforma las frases, empezando con el pronombre **se**.

1 Requerimos permiso de conducir.
Se requiere permiso de conducir.

2 Requerimos experiencia de cinco años.

....

3 Valoramos conocimientos de inglés.

....

4 Pedimos estudios a nivel universitario.

....

5 Exigimos lealtad absoluta a la empresa.

....

6 Necesitamos conductor experto.

....

7 Ofrecemos excelentes condiciones de trabajo.

....

8 Pagamos los mejores sueldos.

....

9 Seleccionamos a los mejores profesionales.

....

13 Luis está en su oficina y aún tiene muchas cosas por hacer porque no tiene secretario/a. Mira su lista de actividades para el día y escribe un informe sobre lo que ha hecho ya (las actividades marcadas con ✔) y lo que no ha hecho aún.

Ejemplo: leer las cartas ✔
Ya ha leído las cartas.
contestar los mensajes recibidos
Aún no ha contestado los mensajes recibidos

Para hacer hoy

leer las cartas ✔

contestar los mensajes recibidos

leer el correo electrónico ✔

escribir y enviar tres mensajes ✔

buscar información en Internet para la presentación en Valencia ✔

llamar por teléfono a la sucursal de Edimburgo

tener la reunión de la mañana con los empleados ✔

hablar con el jefe de la sucursal de Berlín ✔

escribir el documento sobre estrategia comercial ✔

sacar los billetes para el viaje de negocios a Lisboa ✔

reservar un hotel en Lisboa

pagar tres facturas ✔

terminar el informe anual

hacer la entrevista para el puesto de secretario ✔

preparar la presentación de la feria de Valencia

archivar mis documentos

mandar un fax a mi jefe ✔

---

14 Luis quiere irse pero su socio le pregunta qué ha hecho ya y qué no ha hecho aún. Usa las frases de Actividad 13 para escribir diálogos (usa la forma **tú**).

Ejemplos: ¿Has leído las cartas ya?
—Sí, he leído ya las cartas.
¿Has contestado los mensajes recibidos ya?
—No, no he contestado los mensajes recibidos aún.

Lección 5

15 Luis perdió su trabajo. En la entrevista para un nuevo trabajo le hacen una pregunta: 'En su trabajo anterior, ¿cuáles eran sus funciones?' Tú eres Luis. Elige las palabras del Cuadro A que van con las del Cuadro B y luego contesta la pregunta usando el pasado

Ejemplo: *Organizaba conferencias.*

> **A**
>
> organizar entrevistar preparar hacer llamar buscar pagar tener hacer archivar recibir y enviar mandar

> **B**
>
> al personal – el correo electrónico – conferencias – documentos – faxes – información en la Internet – informes – a los clientes – las facturas – presentaciones en conferencias – reuniones con los empleados – reservas de transporte y hotel

16 Rellena los espacios en blanco. Elige el verbo correspondiente y ponlo en la forma correcta.

Mi familia y yo **1** .... ahora en la ciudad, pero antes **2** .... en un pueblo pequeño. En el pueblo, mi padre **3** .... en el campo y mi madre le **4** .... en los trabajos del campo y también **5** .... todos los trabajos de casa. Mis hermanos **6** .... a la escuela, pero yo, como **7** .... muy pequeño, **8** .... solamente tres años, no **9** .... a la escuela todavía. Mis hermanos y yo **10** .... mucho en el campo y **11** .... muchos amigos. También **12** .... en el río cuando **13** .... calor. Pero

desafortunadamente mis padres tuvieron que venir a trabajar a la ciudad y ahora **14** .... aquí. Ahora mi hermano **15** .... en una tienda y mi hermana **16** .... en la universidad. Yo también **17** .... , pero en el instituto.

17 Mira la agenda de la página 17 [Lección 4, Secciones C y D Actividades, Actividad 1]. Eso es lo que hacías tú todos los días hasta que vendiste la tienda y decidiste cambiar tu vida. Escribe una carta a tu amigo/a contándole tu vida anterior (no tienes que mencionar las horas).

Lección 6

18 Describe cómo eran Antonio y Carmen cuando los conociste.

Empieza: *Conocí a Antonio y a Carmen en una fiesta. Antonio era delgado . . .*

Carmen

Antonio

19 Lee lo que dice este hombre sobre su vida cuando era pequeño y rellena los espacios en blanco con los verbos del cuadro, después de ponerlos en la forma correcta. Atención: muchos de los verbos se utilizan varias veces.

tener	parecer	jugar	querer	comer	
ocuparse	vivir	limpiar	haber		
trabajar	ser	ir	ayudar	hacer	estar
lavar					

Cuando **1** .... pequeño
2 .... en un pueblo de España,
mi casa **3** .... en la calle Mayor.
La vida no **4** .... muy buena,
5 .... mucha pobreza. En el
pueblo **6** .... gente rica, pero
nosotros **7** .... muy pobres.
Como **8** .... niños,
9 .... mucho por las calles, pero
10 .... poco y mal.
11 .... poco a la escuela,
12 .... una escuela en el pueblo,
pero mis hermanos y yo, como todos los niños
pobres del pueblo, **13** .... que
trabajar y **14** .... a nuestros
padres en el campo. Mis padres
15 .... campesinos, pero no
16 .... sus propios campos,
17 .... en los campos de una de
las familias más ricas del pueblo. Mi madre
18 .... a mi padre en el campo y
también **19** .... de la casa,
20 .... la comida,
21 .... y **22** .... la
ropa. Su vida **23** .... muy dura,
pues en las casas no **24** .... agua
y **25** .... que ir a lavar y fregar al
río. A mí y a mis hermanos la vida no nos
26 .... tan dura porque
27 .... pequeños y sólo
28 .... jugar.

20 Estos tres amigos/as te han contado sus problemas pero tú no puedes guardar un secreto y se los cuentas a otro amigo. Usa el pasado.

Empieza: Ana tenía una hija . . .
El hermano de José . . .
María discutía mucho . . .

Ana: Tengo una hija muy perezosa y no le gusta estudiar. Es inteligente, pero sólo le gusta salir con sus amigos y pasa las tardes en la calle, no le gusta nada estar en casa. No vuelve a casa hasta la madrugada. Estoy muy preocupada por ella. Lo intento todo, hasta castigarla, pero no da resultado.

José: Mi hermano está obsesionado por su aspecto físico, antes de salir de casa pasa dos horas arreglándose delante del espejo. Le encanta vestirse con ropa extraña, siempre de negro. Le encanta el color negro. Todo el día me pregunta si está guapo. No puedo convencerle de que la imagen no es lo más importante.

María: Discuto mucho con mi familia. A mi marido le encanta discutir por cualquier tontería y a mis hijos les gusta hacerme sufrir y no me respetan. No puedo más. La semana pasada decidí marcharme de vacaciones y dejarlos a todos. Compré un billete e hice la maleta, pero ahora me siento culpable.

Test

Completa el test. Tiene 100 puntos. Al final repasa lo que no sabes.

Lección 1

1 Escribe cuatro frases sobre tus gustos e intereses usando los verbos **gustar**, **encantar**, **interesar** y **divertir**.

(4 puntos)

2 Ahora haz lo mismo sobre los siguientes miembros de tu familia. Usa los verbos que hay entre paréntesis.

Empieza: A mi hermano . . .

1 hermano (gustar)

....

2 padres (encantar)

....

3 abuelo (interesar)

....

4 tía (divertir)

....

(4 puntos)

3 Completa estas frases con los verbos indicados.

1 A mis amigos .... (gustar) el deporte.

2 A mi hermano y a mí .... (encantar) el teatro.

3 A ti y a tu novia .... (divertir) los juegos de cartas.

4 A mi abuelo .... (interesar) los museos.

(4 puntos)

4 **a** Escribe cuatro cosas que hiciste ayer. Usa cuatro verbos distintos.

b Ahora escribe las mismas frases en tercera persona singular.

(4 puntos)

Lección 2

5 ¿Cuál es la profesión? ¿A quién vas si . . .

1 necesitas cortarte el pelo? ....

2 quieres estudiar? ....

3 quieres arreglar las luces en tu casa?
....

4 tienes un problema con el coche?
....

(4 puntos)

6 Escribe frases sobre las personas que hacen los siguientes trabajos. Usa **tener que** y **deber**.

1 un bombero

....

2 un dependiente

....

3 un jefe de personal

....

4 un programador

....

(4 puntos)

7 Sustituye las palabras destacadas con pronombres.

1 Mandé **el libro** a **Juan.**

....

2 Vi a **mis amigos** ayer en la calle.

....

3 Quieren mucho a **sus dos hijas.**

....

4 Invitaron a **mi hermano y a mí** al cine.

....

(5 puntos)

8 Contesta las preguntas usando el verbo **hacer**.

¿Cuánto hace que . . .

1 estudias español?

....

2 vives en tu casa?

....

3 no vas de vacaciones?

....

(3 puntos)

Lección 3

9 Escribe los verbos en la forma correcta.

No estoy seguro si (poder) (ir) al baile esta noche. Si (ir) te (ver) dentro de la discoteca. Después nosotros (tomar) una copa en un bar cerca. Si (llamar) a Juan, pregúntale si (venir) también.

(7 puntos)

10 He aquí cuatro cosas que se encuentran en una cocina. Escribe las palabras en la forma correcta.

1 MEARINCE

....

2 GORDEEFAR

....

3 SLAIJAVAVALL

....

4 DROAVALA

....

(4 puntos)

11 Completa las frases con pronombres posesivos.

1 la casa en que vivo ➜ la casa es mía
2 el coche de mis padres ➜ el coche es
....
3 los hijos de María y Javier ➜ los hijos son
....
4 las toallas de Juana y yo ➜ las toallas son
....
5 el bolígrafo es para ti ➜ el bolígrafo es
....

(4 puntos)

12 Usa las frases de Actividad 11 y contesta según el ejemplo.

1 ¿Qué casa? ➜ La mía.
2 ¿Qué coche?
....
3 ¿Qué hijos?
....
4 ¿Qué toallas?
....
5 ¿Qué bolígrafo?
....

(4 puntos)

Lección 4

13 Escribe estas instrucciones de otra manera usando el verbo **(no) poderse**.

1 Prohibido fumar dentro del teatro.
....
2 ¿Está permitido entrar por esta puerta?
....
3 Prohibido parar el coche en esta zona.
....
4 ¿Está permitido tocar la escultura?
....

(4 puntos)

14 He aquí cuatro partes de un coche. Escribe las palabras en la forma correcta.

1 CLEAREDARO
....
2 TROCIMELOVE
....
3 TONEMUCAI
....
4 GRABEUME
....

(4 puntos)

15 Escribe estas frases cambiando el pretérito indefinido del verbo destacado, al pretérito perfecto.

1 **Le dijo** a Juan que no puede asistir a su boda.
....
2 **Fui** a Londres y vi el palacio de Buckingham.
....
3 **Hice** los deberes rápidamente.
....
4 **Pusieron** los libros encima de la mesa.
....

(4 puntos)

16 Completa las frases siguientes con **ya**, **aún** o **todavía**.

1 ¡ .... estás en casa! ¡Vas a perder el tren!
2 He trabajado todo el día en este proyecto y .... no he terminado.
3 A: ¿Cuándo vas a arreglar el coche?
   B: .... lo he arreglado.
4 Bueno, estoy preparado. .... podemos salir.

(4 puntos)

17 Completa las frases siguientes con el verbo adecuado.

1 Se .... aquella casa. Es muy cara, ¿verdad?
2 Mira. Se .... una habitación en una casa. El alquiler no es caro.
3 Por favor, ¿aquí se .... inglés?
4 Oiga. No se .... fumar en el museo.

(4 puntos)

18 Usa los verbos en el cuadro en la forma correcta para completar las frases.

arreglar   estropear   permitir   prohibir

1 No podemos ver la tele. Está ....
2 Señor, su coche está .... Puede llevárselo ahora mismo.
3 Está .... circular por esta calle; es una zona peatonal.
4 Por favor. ¿Está .... usar un diccionario en el examen?

(4 puntos)

Lecciones 5 y 6

19 Ahora y antes. Lee el texto sobre la vida de Carmen ahora. Escribe el mismo texto en el pasado, cambiando los verbos destacados al pretérito imperfecto.

Empieza: Me gustaba la vida que tenía antes. Cada día iba . . .

Me **gusta** la vida que **tengo** ahora. Cada día **voy** a mi trabajo en el centro de la ciudad. **Es** un buen trabajo y me **pagan** bien. Normalmente **como** con mis compañeros de trabajo. **Tenemos** un restaurante bueno en la empresa. **Vivo** en una zona de la ciudad muy tranquila y **hay** muchas cosas que hacer. **Salgo** con mis amigos y **estudio** por la tarde. Mis vecinos **son** muy simpáticos también y a veces **tomamos** un café en un bar cerca de mi casa. Los fines de semana **voy** a la piscina y **nado** durante una hora para mantenerme en forma.

(6 puntos)

20 Contesta estas preguntas utilizando las palabras y las frases del cuadro.

tener   llegar   ir   ganarme   mojarme   frío la vida   a la fiesta   a tiempo   no   no

1 ¿Para qué trabajas?
....
2 ¿Para qué vas tan de prisa?
....
3 ¿Para qué llevas un abrigo?
....
4 ¿Para qué llevas un paraguas?
....
5 ¿Para qué quieres este vestido?
....

(5 puntos)

Lección 6

21 Completa estas frases utilizando **ser** y **estar**.

1 El restaurante .... bueno pero hoy la sopa .... mala.
2 Normalmente Juan .... muy simpático pero estos días .... insoportable.

3 La señora Díaz ………. muy amable hoy porque ha ganado la lotería, pero normalmente ………. antipática.

4 Últimamente mi padre ………. muy deprimido aunque habitualmente ………. una persona optimista

5 ¡Qué elegante ……….! ¿Vas a la fiesta?

(5 puntos)

22 Completa las frases con la forma correcta de **ser** o **estar**.

María **1** ………. contenta con su vida de antes. **2** ………. secretaria en una empresa muy importante de Madrid. Tenía un novio que se llamaba Javier y los dos **3** ………. enamorados. Él **4** ………. programador de ordenadores y también **5** ………. estudiando informática los fines de semana.

(5 puntos)

23 Completa estas frases sobre cómo ha cambiado un pueblo. Utiliza la forma correcta de los verbos del cuadro.

ser   tener   haber (hay)   estar

1 Ahora ………. mucho tráfico. Antes no ………. tráfico.

2 La zona ………. muy ruidosa ahora. Antes ………. muy tranquila.

3 Antes las tiendas ………. abiertas por la mañana y por la tarde. Ahora ………. abiertas todo el día.

4 Antes el pueblo no ………. piscina, pero ahora ………. una piscina municipal.

(4 puntos)

Total: ………. / 100 puntos

8

¿Qué les regalo?

Secciones A y B *Actividades*

1 a Lee las definiciones y escribe en los cuadros el nombre del objeto que describen. El número 1 es un ejemplo.

	a	b	c	d	e	f	g	h
1	C	E	P	I	L	L	O	S
2								
3								
4								
5								
6								
7								
8								
9								
10								

Definiciones

1 Unos objetos que son generalmente de plástico, aunque a veces pueden ser también de madera, y que sirven para peinarse, pero no son peines.

2 Son prendas de vestir que sirven para ponerse encima, especialmente cuando el tiempo no es bueno. Están confeccionadas con telas que nos dan calor.

3 Así se llaman unas cosas que muchas mujeres españolas se ponían hace varios años en la cabeza, pero no hablamos de sombreros que también sirven para cubrirse la cabeza. También se llama así a algo que sirve para limpiarse la nariz cuando estamos resfriados.

4 Son objetos muy útiles cuando hace calor porque con ellos podemos darnos aire. Son muy ecológicos porque nos dan el aire de manera natural, aunque a veces podemos cansarnos, especialmente puede cansarse nuestro brazo. El material que se utiliza para fabricarlos es la madera o el plástico y la tela o la seda, a veces también el papel.

5 Son objetos que leemos para informarnos sobre temas de actualidad y noticias, del hogar, de jardinería y de otras muchas cosas.

6 Son unas alfombras que están sujetas al suelo y no se mueven, cubren todo el suelo de una habitación y no pueden quitarse fácilmente.

7 Forman parte esencial del cuerpo humano y también de muchos animales porque son muy útiles para comer. Suelen ser blancos, pero se manchan fácilmente.

8 Son unos objetos que se han convertido en algo esencial en nuestra sociedad actual. Sin ellos llegamos tarde a todos los sitios.

9 Son objetos en los que se representan imágenes y que usamos para poner en las paredes para decorarlas. Algunas personas se han hecho famosas por ellos.

10 Son objetos muy útiles para comer, especialmente los líquidos.

b Ahora escribe la letra correspondiente del cuadro arriba, en las casillas de la página siguiente, para leer el mensaje.

1b	4h	6f	10g		5f	2a	8a	9d	5b
	3f	9f	5h		7e	5d	8d	10h	
7a	6e		4c	7d	10e		5c	3b	4d
	5g		10a	1g	6a	3a	2c	4a	9e
	3e	1f		10c	2f	9a	10d	8f	
1c	8b	6c	3d	7f	3c	4g	.		

2 Lee la carta y escribe en la agenda, en orden cronológico, las tiendas que visitó Eva y lo que compró o cambió.

Querido Gustavo:

¿Qué tal estás? Yo estoy muy cansada porque fui de compras el sábado y compré muchas cosas. Por la mañana fui a una joyería a comprar un regalo para mi madre porque era su cumpleaños. Quería comprar una pulsera y un collar de plata pero eran muy caros, así que decidí comprarle unos pendientes. Me costaron 43 euros y son muy bonitos. Pero cuando los di a mi madre por la tarde, nos dimos cuenta de que el cierre de uno de los pendientes estaba roto. Por lo tanto, volví a la tienda para cambiar los pendientes.

Antes de comprar el regalo en la joyería por la mañana fui a unos grandes almacenes y me compré una falda muy bonita. Lo primero que hice al salir de casa por la mañana fue comprar una revista en el estanco. Después de comprar mi falda fui a una cafetería a tomar un café y leer mi revista. Más tarde volví a los grandes almacenes para comer, pero antes, fui a comprar pilas para mi despertador, pero al llegar a casa me di cuenta de que no tenía las pilas – probablemente estaban todavía en la tienda, así que tuve que volver a la tienda antes de ir la joyería porque cierran antes. Después de comprar las pilas (por la mañana) pero antes de comer, compré unos zapatos en un puesto de un mercadillo que había cerca de los grandes almacenes.

También compré unas gafas de sol en el mismo sitio. En la joyería por la tarde vi una pulsera preciosa para mí y la compré. Al volver a casa me encontré con unos amigos y tomamos un refresco en un bar. Luego, volví a casa; estaba muy cansada.

Un abrazo

Eva

3 Escribe una carta sobre tus compras usando la agenda siguiente.

Empieza: *Querido amigo: El sábado pasado fui de compras . . .*

SÁBADO

Mañana
estanco – periódico
perfumería – perfume para amiga
grandes almacenes – pantalón / regalo para padre
farmacia – pastillas para la tos
mercado – pescado / lechuga / pan

tarde
tienda de fotografía – recoger fotos vacaciones
grandes almacenes – cambiar pantalón: muy pequeño
un bar – café con hermano

Secciones A y B *Gramática*

1 Contesta las preguntas.

1 ¿Es éste el libro que compraste ayer?
No, éste no es el que compré ayer. El que compré ayer es aquél.

2 ¿Es ésta la casa que alquilaron tus padres?
....

3 ¿Son éstas las fotos que hiciste en Madrid?
....

4 ¿Son éstos los amigos que conocisteis en la playa?
....

5 ¿Son éstas las flores que te envió tu novio?
....

6 ¿Es éste el abrigo que perdió tu hijo?
....

7 ¿Es ésta la pulsera que te compraron tus padres?
....

8 ¿Es éste el fax que tienes que mandar a tu jefe?
....

2 Contesta las preguntas. Recuerda:
éste ➜ aquí; **ése ➜ ahí**; **aquél ➜ allí.**

1 ¿Quieres la que está ahí?
Sí, quiero ésa.

2 ¿Quieres el que está allí?
....

3 ¿Quieren (ellos) los que están aquí?
....

4 ¿Queréis las que están ahí?
....

5 ¿Quieren (ustedes) la que está allí?
....

6 ¿Quieres las que están aquí?
....

7 ¿Queréis el que está ahí?
....

8 ¿Quieres los que están allí?
....

9 ¿Quieren (ustedes) la que está aquí?
....

10 ¿Quieres las que están allí?
....

11 ¿Quieren (ellas) el que está aquí?
....

12 ¿Queréis los que están ahí?
....

Secciones C y D *Actividades*

1 Mira los dibujos y marca las cosas que están mal.

Ejemplo: El libro tiene unas páginas rotas.

2 Pasaste tus últimas vacaciones en una estación de esquí, pero todo fue bastante mal. Escribe una carta a la agencia de viajes explicando los problemas que tuviste, usando las notas.

Muy señor mío:

Las vacaciones que reservamos a través de su agencia fueron un desastre. En primer lugar . . .

* * *

Esperamos que nos devolverán el dinero que les pagamos.

Saludos cordiales

---

no poder esquiar / no nieve
los remontes a la montaña / estropear / no poder subir

hotel / lejos de las pistas de esquí
hotel / viejo y mal cuidado
habitación: pequeña y fea
ventana: vistas a un patio cerrado, no a la montaña
calefacción: no funcionar
baño: sin agua caliente / ducha rota
piscina cubierta: sin agua
sauna: estropeada
noche: mucho ruido – una discoteca debajo de la habitación

3 **a** Completa el artículo 'Consumo solidario' con palabras del cuadro.

---

actualidad   condiciones   creación
dañado   encontrar   elaborado   fabrican
fabricar   facilitarles   haciendo   instalarse
intermediarios   ofrecer   pagamos   pagan
impuestos   procedentes   producen
proporcionan   sabemos

Las grandes compañías que **1** .... productos, como prendas de vestir, café y otros, nos hacen creer que los altos precios que **2** .... por ellos, son un signo de alta calidad, pero lo que no **3** .... es que muy poco de ese dinero llega a los obreros que los fabrican o a los campesinos que los **4** ....

En países de Centroamérica, por ejemplo, los gobiernos han cedido a compañías multinacionales todo tipo de facilidades para **5** .... : terrenos a muy bajo precio, e incluso gratis, quitando tierras a los campesinos, bajos **6** .... , bajos sueldos para los trabajadores, que trabajan muchas horas y en malas **7** .... , porque las leyes no los protegen. Así, las empresas pueden **8** .... productos a bajo precio que, después, cuando se venden a países ricos a altos precios les **9** .... grandes beneficios.

Ante esta situación, el comercio justo aparece para **10** .... a los campesinos y artesanos – generalmente de países de economía pobre – un precio justo por su trabajo y **11** .... la venta directa de sus productos a los consumidores, sin **12** .... Las tiendas de comercio justo o

tiendas de la solidaridad, venden los productos de estos artesanos y campesinos y los beneficios se les **13** .... directamente. Parte de los beneficios obtenidos van a proyectos de desarrollo, como la **14** .... de cooperativas autónomas.

La idea apareció en Holanda en los años 60 y en la **15** .... existen en Europa más de tres mil tiendas de comercio justo, y en España hay más de 30.

En estas tiendas podemos **16** .... desde alimentos, como café, chocolate o productos integrales, hasta artesanía, ropa, artículos de regalo y productos ecológicos **17** .... de América Latina, Asia y África.

La ventaja de comprar en estas tiendas es que, además de comprar calidad, tenemos la garantía de saber que en su producción no se ha **18** .... el medio ambiente, de que se han **19** .... sin explotar a niños o adultos y de que se ha pagado un precio justo a los trabajadores. También tienen la ventaja de que se puede comprar por catálogo, **20** .... la compra más cómoda y accesible a los que no pueden trasladarse a las tiendas.

b Contesta las preguntas.

1 ¿Por qué pensamos que las grandes compañías producen calidad?
....

2 ¿Qué beneficios llegan a las personas que fabrican y producen los productos?
....

3 ¿Qué beneficios ofrecen algunos gobiernos a las compañías para instalarse en sus países?
....

4 ¿Cómo obtienen estas compañías sus grandes beneficios económicos?
....

5 ¿Qué ventajas tiene el comercio justo para los trabajadores?
....

6 ¿En qué país aparece por primera vez el comercio justo?
....

7 Además de la calidad, ¿qué otras ventajas hay?
....

8 ¿Cómo se puede comprar cómodamente?
....

Secciones C y D *Gramática*

1 Contesta las preguntas usando las claves.

1 ¿Está estropeado el reloj? –Sí / yo / comprar / ayer / y estropear
Sí lo compré ayer y ya se ha estropeado.

2 ¿Están rotos los zapatos? –Sí / yo / comprar / semana pasada / romperse
....

3 ¿Está sucia la cocina? –Sí / nosotros / limpiar / ayer / ensuciarse
....

4 ¿Está estropeado el motor? –Sí / mecánico / arreglar / ayer / y / estropearse
....

5 ¿Está rota la ducha? –Sí / vosotros / arreglar / ayer / romperse
....

6 ¿Están estropeadas las luces? Sí / yo / arreglar / ayer / y /estropearse
....

7 ¿Están sucias las camisas? Sí / yo / lavar / el lunes / y / ensuciarse
....

2 Construye frases.

1 El coche está estropeado. (ellos) tener / arreglar
Tienen que arreglarlo.

2 Necesitamos unas toallas. ¿(tú) poder / comprar?
....

3 Hemos perdido las llaves. (nosotros) tener / encontrar
....

4 Quieren dos taxis. hay / llamar
....

5 La carta está escrita. (tú) deber / enviar
....

6 La tubería está atascada y necesitan un fontanero. hay / avisar
....

7 La comida se enfría. (vosotros) tener / comer
....

8 Los libros están desordenados en la estantería. (yo) deber / ordenar
....

9 Las cuentas están mal. (ustedes) tener / corregir
....

3 Pon los infinitivos entre paréntesis en el tiempo adecuado del pasado.

1 Esta mañana nosotros .... (empezar) a trabajar muy temprano.

2 El jueves .... ellos (salir) por la noche hasta muy tarde y por eso el viernes .... (estar) muy cansados.

3 El estudiante .... (estudiar) mucho y .... (aprobar) todos los exámenes.

4 Este año la compañía .... (tener) muchos problemas y no .... (obtener) beneficios de importancia.

5 El jueves .... (venir) toda mi familia a comer y yo .... (cocinar) una paella que .... (estar) muy buena.

6 .... (Romperse) la televisión y no .... (poder) verla en toda la semana.

7 Anoche .... (haber) mucha niebla, por eso no .... (poder) salir de viaje.

8 El mes pasado no .... (llover) nada, pero este mes no .... (parar) de llover.

Autoevaluación

Ya sabes . . .

describir objetos y expresar opiniones sobre ellos.

hablar y escribir sobre compras.

hablar y escribir sobre problemas con productos y servicios: devoluciones en tiendas, quejas en hoteles.

usar varios tipos de pronombres en las situaciones anteriores: relativos (el que compré ayer), demostrativos (quiero aquél) y personales (¿puede arreglarla?).

usar los tiempos del pasado, especialmente contraste entre pretérito indefinido y pretérito perfecto.

9

¿Qué te pasó?

Sección A *Actividades*

1 Mira lo que ocurría en cada uno de los pisos de este edificio cuando empezó el incendio. Usa el imperfecto, por ejemplo **preparaba.**

Empieza: Cuando empezó el incendio en el edificio, en el primero izquierda, en la cocina, Ana preparaba la comida . . .

2 Carlos escribe una carta a su amiga sobre lo que le pasó la otra noche. Escríbela completa, usando las claves.

> Querida amiga:
>
> La otra noche me pasó algo muy curioso . . .
>
> Llover / hacer frío / muy tarde / yo andar por una calle oscura / un hombre seguirme / yo empezar a correr / el hombre correr también / yo muy nervioso / llegar a mi casa / llamar al timbre / mi mujer abrir la puerta / yo entrar en casa / llamar a la policía / venir dos policías / yo contarles problema / después de una hora hombre llamar por teléfono / hombre tener mi cartera / encontrarla en la calle / y querer devolvérmela / ser el hombre que seguirme en la calle.

Sección A *Gramática*

1 Transforma las frases que has escrito para Actividad 1 (**Actividades**).

Ejemplo: preparaba ➜ estaba preparando

Empieza: Cuando empezó el incendio en el edificio, en el primero izquierda, en la cocina, Ana estaba preparando la comida . . .

2 Escribe los verbos que están entre paréntesis en las formas correspondientes del pasado. Si usas el imperfecto usa **estar** + gerundio.

1 (Llover) cuando (llegar) el autobús.
Estaba lloviendo cuando llegó el autobús.

2 El otro día cuando (pasear) por la calle unos hombres (robarme) la cámara.
....

3 Cuando tú (llegar) al aeropuerto tu padre (esperarte).
....

4 María (cenar) con su familia cuando (llegar) sus amigos.
....

5 Cuando Luis (trabajar) su hijo (llamarlo) por teléfono.

6 Él (dormir) cuando vosotros (venir) a verle.
....

7 Mis padres (pasar) unos días en la playa cuando mi hermano (tener) el accidente.
....

8 Cuando Susana (nadar) en la piscina (darle) el ataque.
....

3 Escribe de nuevo las frases de Actividad 2 pero usa la forma del imperfecto.

Ejemplo: Estaba lloviendo cuando llegó el autobús. ➜ Llovía cuando llegó el autobús.

Sección B *Actividades*

1 a Completa el texto con la preposiciones correctas.

Alfonso durmió **1** .... las once de la noche **2** .... las nueve y media de la mañana. Luego preparó un proyecto **3** .... su curso. Fue **4** .... la universidad donde escuchó una charla **5** .... la lucha **6** .... el terrorismo. Después fue **7** .... el centro donde había una tienda de regalos. Compró un collar de plata y la dependienta lo envolvió **8** .... papel **9** .... regalo. Volvió a su casa **10** .... el parque.

El próximo día presentó el proyecto **11** .... los jefes del departamento. Después, sus jefes hicieron comentarios y **12** .... ellos, la presentación fue muy buena. **13** .... la presentación tomó un café **14** .... su novia en una cafetería que se encontraba **15** .... la universidad y su casa. Le dio el regalo. Ella puso el paquete encima de la mesa mientras fueron al bar a elegir un pastel. El paquete se cayó **16** .... la mesa.

b Busca catorce preposiciones en la sopa de letras. Hay dos del texto que no aparecen. ¿Cuáles?

```
B  I  N  P  S  T  E  C  E  S  A  N
I  A  N  T  E  U  N  P  O  S  T  R
C  U  J  S  I  S  T  H  D  E  B  L
S  U  C  O  N  T  R  A  U  Q  T  Q
R  F  D  B  O  J  E  C  J  H  I  E
Y  V  T  R  A  S  W  I  X  E  P  L
Q  S  B  E  M  X  H  A  S  T  A  G
I  B  D  L  T  P  Q  R  E  Y  R  Y
L  M  F  E  S  I  M  W  G  P  A  U
P  K  R  F  S  J  K  E  U  T  Y  J
O  I  S  H  Q  D  L  U  N  N  F  L
T  E  L  D  K  G  E  S  J  M  D  G
```

2 Pon en orden las frases que cuentan lo que le pasó a Carmen. Escribe también las preposiciones que faltan en las frases (si quieres puedes hacer esto antes). Recuerda **a** + **el** = **al** y **de** + **el** = **del**.

a Carmen llevaba el bolso colgado .... el hombro

b de repente oyó unos pasos .... ella

c el otro día Carmen volvía .... el teatro

d .... la avenida no había luces

e entonces se fue corriendo .... la avenida

f .... cancelar sus tarjetas de crédito

g era .... noche, ... las doce de la noche

h iba .... su casa .... pie

i la mujer se puso rápidamente .... el lado .... Carmen

j llovía .... parar y hacía mucho frío

k no había nadie .... la calle

l Carmen, ... un gran susto, fue .... casa

m y le arrancó el bolso .... el hombro

n llamó .... el banco .... teléfono

o se volvió .... atrás

p y vio .... una mujer

Sección B *Gramática*

1 Pon las preposiciones que faltan en estas frases.

1 No vi .... Begoña .... la fiesta.

2 Mi trabajo consiste .... enseñar la ciudad .... los turistas.

3 Trabajo .... fontanero.

4 Marisa está enamorada .... Luis.

5 Fui .... la playa .... un grupo .... amigos.

6 La película trata .... un joven que quiere hacerse rico .... ningún esfuerzo.

7 El protagonista .... la película es un chico guapo, pero .... dinero.

8 La chica corrió .... la parada .... el autobús.

9 No sé reaccionar .... un problema.

10 El jefe habló .... los empleados .... todos los problemas que tiene la empresa.

11 Sí, me encanta pasear .... el parque.

2 Ahora haz las preguntas que corresponden a cada frase de Gramática 1 [Sección B Gramática].

Ejemplo: No vi a Begoña en la fiesta. ➜ ¿Viste a Begoña en la fiesta?

3 Decide: ¿**por** o **para**?

1 Estamos muy enfadados .... el mal comportamiento de nuestro hijo.

2 La muñeca es ………. mi sobrina.

3 Estaré aquí unos días ………. descansar.

4 Cometió el crimen ………. venganza.

5 Luis es rico, pero trabaja ………. hacer algo.

6 Compró tantos globos ………. la fiesta de su hijo.

7 Esto no sirve ………. nada.

8 Estudia arte ………. placer.

9 Mi padre tuvo que trabajar de niño ………. ayudar a su familia.

10 Esta calle es sólo ………. peatones.

11 Perdieron el avión ………. culpa del tráfico.

4 Haz las preguntas correspondientes a las frases de Gramática 3 [Sección B]. (Nota: en algunos casos puedes poner **para qué** o **por qué**.)

Secciones C, D y E *Actividades*

1 Manuel cuenta algo que les pasó a él y a su novia. Elige del cuadro las palabras que faltan en el texto. Atención, porque las letras están mezcladas.

Ejemplo: ónescita ➜ *estación*

bavalle ceih cercóa ciusa dagena
lusoe mosid nevoj dimospu ónescita
ógpe queuna robes galore josvie
ñaquepe ñezotapu tanbaste tospaza
vanletó rocrer sablo semitaca vecerza

Ayer nos robaron la maleta. Estábamos sentados los dos, mi novia Marina y yo, en la cafetería de la **1** ………………. , en una mesa, y la maleta estaba en el **2** ………………. , a mi lado. Entonces alguien se **3** ………………. , cogió la maleta y me pegó un **4** ………………. . Era un hombre **5** ………………. , un chico de unos diecinueve o veinte años. El chico era

6 ………………. gordo y **7** ………………. el pelo muy corto. Llevaba una **8** ………………. blanca, muy **9** ………………. , y unos pantalones vaqueros muy **10** ………………. . El chico estaba tomando una **11** ………………. en la mesa de al lado y se **12** ………………. y cogió la maleta. La verdad es que no comprendo por qué me **13** ………………. , porque yo no **14** ………………. nada cuando el chico cogió la maleta. Cuando nos **15** ………………. cuenta el chico salía por la puerta y se echó a **16** ………………. . Marina corrió detrás de él, pero no **17** ………………. alcanzarle y nadie hizo nada para pararlo. Ocurrió **18** ………………. las diez o diez y cuarto de la noche.

Lo sentí mucho por la maleta, era un **19** ………………. de mi madre, era muy bonita, **20** ………………. , marrón, de plástico duro, y **21** ………………. no llevábamos mucha ropa, era ropa que nos gustaba mucho, también llevábamos libros, cuatro pares de **22** ………………. , una **23** ………………. de aseo, una **24** ………………. electrónica y un cargador para el móvil.

2 a Manuel y Marina han ido a denunciar el robo a la comisaría. Lee las preguntas que les hace el policía y contéstalas usando la información que da Manuel en Actividad 1. Las preguntas no están en orden.

1 ¿A qué hora ocurrió aproximadamente?
………………………………………………

2 ¿Cómo era la maleta?
………………………………………………

3 ¿Cómo iba vestido el chico?
………………………………………………

4 ¿Dónde tenían la maleta?
………………………………………………

5 ¿Dónde tuvo lugar el robo?
....

6 ¿Había algo más?
....

7 ¿Pueden describir al chico?
....

8 ¿Y cómo ocurrió?
....

9 ¿Y cómo se la quitaron?
....

10 ¿Y por qué cree que le pegó a usted?
....

11 ¿Y qué había en la maleta?
....

12 ¿Y qué hicieron ustedes cuando cogió la maleta?
....

13 ¿Y vieron quién cogió la maleta?
....

14 A ver, señores, ¿qué les pasa?
....

b Las preguntas están mezcladas. Ponlas en orden siguiendo el relato de Miguel y escribe la conversación completa.

Secciones C, D y E *Gramática*

1 Une las preguntas de la Lista A con las respuestas correspondientes de la Lista B.

Lista A
1 ¿Qué hacía Luis?
2 ¿Qué hacían las niñas?
3 ¿Qué hicieron tus padres?
4 ¿Qué hizo Carmen?
5 ¿Qué hicisteis anoche?
6 ¿Qué hacían los chicos?
7 ¿Qué hacíais en el instituto?
8 ¿Qué hicieron las chicas?

Lista B
a Escaparon por la puerta de atrás.
b Estudiábamos Ciencias.
c Fueron al cine.
d Fuimos a la discoteca.
e Jugaban en el parque.
f Nadaban en la piscina.
g Paseaba por la calle.
h Salió a comprar al supermercado.

2 Eres amigo/a de Manuel y Marina. Cuenta lo que les pasó cambiando el número de ladrones y maletas a dos en vez de uno.

Autoevaluación

Ya sabes . . .

contar lo que te pasó, describiendo los detalles (lo que pasaba), oralmente y por escrito.

comprender noticias y artículos de periódicos y revistas.

denunciar un robo, un ataque, un accidente o similar.

usar el imperfecto ('simple': **paseaba**, y 'compuesto': **estaba paseando**) en la descripción de las circunstancias que rodean la acción principal.

usar las preposiciones en diferentes contextos.

10

¿Qué te parece?

Secciones A y B *Actividades*

1 María tuvo una fiesta en su casa e invitó a muchos amigos. Cuando volvieron sus padres encontraron así el salón. ¿Qué habían hecho María y sus amigos? Usa los verbos del cuadro para escribir frases.

dejar romper ensuciar quemar estropear

Ejemplo: Cuando los padres volvieron a casa, María y sus amigos habían dejado botellas vacías por el suelo.

2 a Lee la carta de tu amiga donde te habla
de sus gustos. ¿Qué le gusta más a
Virginia? Pon en orden de preferencia

1 el cine **2** la lectura **3** el vídeo
4 la televisión **5** el teatro **6** la ópera

Hola,

Me preguntas en tu carta lo que me gusta hacer en mi tiempo
libre. Pues te diré que me encanta el cine, pero como
desgraciadamente no dispongo de mucho tiempo para salir e ir al
cine, de cuando en cuando veo las películas en vídeo, en casa, no
es lo mismo, pero está bien. De vez en cuando voy al cine a ver
alguna película especial. También me gusta muchísimo leer y los
libros que prefiero son los de misterio. Leo a menudo, casi todos
los días. También me gusta leer libros de historia y en general
libros que me hacen pensar. Últimamente he leído bastantes libros
cómicos porque me canso de leer cosas tristes. En cuanto al cine,
también me gustan las películas de misterio y las policíacas, pero
no me gustan las de terror con mucha sangre y violencia, esas
las veo muy poco. El teatro me gusta bastante, incluso más que
el cine, pero apenas voy y eso que me gustaría ir más a
menudo, pero el teatro aquí es muy caro y no tengo bastante
dinero. Y, desde luego, nunca voy a la ópera, porque es carísima
aunque me da pena porque es lo que más me gusta. A ratos
veo la televisión, pero no mucho porque los programas suelen ser
bastante malos y los que hay buenos los echan muy tarde y yo
ya estoy cansada y me voy a dormir. Desde luego prefiero el
cine, aunque si hay algún documental bueno en televisión, lo que
sucede muy pocas veces, suelo verlo. Por lo demás, siempre que
puedo leo el periódico y alguna revista, en concreto revistas de
política y de actualidad, que me interesan mucho. Realmente, de
todo, lo que más me gusta es leer, porque puedo hacerlo en
casa y es barato ya que traigo los libros de una biblioteca.

Un abrazo

Virginia

b Contesta las preguntas.

1 ¿Por qué no va mucho al teatro o a la ópera?

....

2 ¿Por qué no ve televisión?

....

3 ¿Por qué va poco al cine?

....

4 ¿Por qué lee más?

....

5 ¿Qué libros le gustan más?

....

6 ¿Por qué lee libros cómicos?

....

7 ¿Qué tipo de películas no le gustan?

....

c Di qué hace/qué ha hecho . . .

1 a menudo

....

2 a ratos

....

3 apenas

....

4 de cuando en cuando

....

5 siempre que puede

....

6 de vez en cuando

....

7 muy pocas veces

....

8 nunca

....

9 últimamente

....

3 Escribe una carta similar a la de Actividad 2. Usa las mismas expresiones.

Secciones A y B *Gramática*

1 Forma frases completas y añade **ya** o **aún**.

1 Nosotros entrar al castillo / Luis salir

Cuando nosotros entramos al castillo, Luis ya había salido.

2 Cuando vosotros empezar a estudiar / yo terminar

....

3 Cuando María y yo entrar a la oficina / Francisco hacer el trabajo

....

4 Cuando yo irme / Luis no limpiar la casa

....

5 Cuando mis hermanas ir a comprar / el supermercado cerrar

....

6 Cuando vosotros llamarme por teléfono / yo no cenar

....

7 Cuando nosotros llegar a casa de Pedro / la fiesta terminar

....

8 Cuando mis padres comprar la casa / no construirla

....

2 **a** Une cada expresión de la Lista A con una expresión similar de la Lista B.

Lista A

1 a menudo
2 a ratos
3 apenas
4 de cuando en cuando/de vez en cuando
5 muy pocas veces
6 nunca
7 últimamente

Lista B

a recientemente
b casi nunca
c no muy a menudo
d a veces
e alguna vez
f jamás
g muchas veces

b Escribe las frases que aparecen con las expresiones de la Lista A en el texto de Actividad 2 (**Actividades**) y sustitúyelas con las frases de la Lista B.

Leo a menudo → Leo muchas veces.

Secciones C y D *Actividades*

1 **a** Lee el argumento de una película titulada 'Abandono'. Es la historia de Fernando, un ejecutivo moderno. Pon los verbos que están entre paréntesis en la forma correspondiente del pasado.

Fernando era un ejecutivo muy ocupado. Siempre **1** .... (tener) demasiado trabajo. Sus jefes le trataban bien pero sólo si hacía bien el trabajo y **2** .... (ganar) mucho dinero para la empresa. Si tenía algún problema y **3** .... (perder) clientes o dinero le echaban la culpa a él. Esto le creaba mucha tensión y cuando **4** .... (volver) a casa, siempre tarde, **5** .... (enfadarse) con su mujer y gritaba a sus hijos por cualquier tontería. Su jornada de trabajo era larguísima, muchos días **6** .... (trabajar) más de doce horas. Cuando llegaba a casa, normalmente sus hijos ya **7** .... (acostarse) y muchas veces su mujer **8** .... (dormirse) también, esperándolo. La mayoría de los fines de semana se llevaba trabajo a casa y no tenía apenas tiempo libre. Además, muchas noches tenía que salir a cenar con clientes y otros ejecutivos de su empresa y no **9** .... (regresar) hasta altas horas de la madrugada. También hacía numerosos viajes de negocios y **10** .... (pasar) largas temporadas fuera de casa. No **11** .... (ser) feliz. Un día, cuando **12** .... (llegar) a casa después de uno de sus muchos viajes de negocios, su mujer **13** ....

(marcharse) y **14** .... (llevarse) a sus hijos con ella. Fernando encontró una nota en la que le **15** .... (decir) que se iban a vivir a otra ciudad. Al principio él creyó que era una broma, pero al día siguiente cuando volvió a casa y no **16** .... (encontrar) ni a su mujer ni a sus hijos **17** .... (darse) cuenta de que la situación era peor de lo que imaginaba. Llamó a sus suegros, pero su mujer no **18** .... (ir) por su casa y no les **19** .... (decir) nada. La **20** .... (buscar) por muchos sitios, pero no la encontró. Su mujer y sus hijos no **21** .... (estar) en ninguna parte.

Pasó meses buscando a su familia y poco a poco dejó de trabajar como antes ya que dedicaba todo el tiempo a buscar y buscar. Sus jefes lo llamaron a la oficina y lo **22** .... (despedir) porque ya no trabajaba como antes y no hacía dinero para la empresa. Fernando **23** .... (quedarse) sin trabajo y, al poco tiempo, se quedó también sin dinero. Ahora vive solo y está buscando empleo en una empresa parecida a la suya, aún sigue buscando a su familia.

b Lee la frases y di si son verdaderas (V) o falsas (F).

1 Fernando trabajaba mucho para su empresa. ....

2 Sus jefes siempre le trataban bien. ....

3 Se enfadaba mucho con su mujer, pero no con sus hijos. ....

4 Cuando volvía a su casa nadie estaba despierto. ....

5 Los fines de semana tampoco tenía tiempo para su familia. ....

6 Hacía muchos viajes de negocios con su mujer. ....

7 Su mujer fue a vivir a casa de sus padres. ....

8 La mujer se marchó con sus hijos. ....

9 Después de varios meses encontró a su familia. ....

10 Fernando dejó de trabajar como antes. ....

11 Ahora ha vuelto a trabajar para su empresa. ....

c Busca en el texto las palabras o frases equivalentes a las siguientes.

1 compañía   *empresa*
2 algo poco serio ....
3 casi todos ....
4 continúa ....
5 cosas sin importancia ....
6 día laboral ....
7 estrés ....
8 hablaba en voz alta y agresivamente ....
9 le acusaban ....
10 lugar ....
11 mucho tiempo ....
12 muy tarde por la noche ....
13 padres de su mujer ....
14 paró de ....
15 pasaba todas las horas ....
16 pensaba ....
17 perdió su puesto ....
18 similar ....
19 trabajo ....
20 volvía ....

Secciones C y D *Gramática*

1 Lee los argumentos de estas dos películas que cuentan María Jesús y Mari Mar y escríbelos usando los pasados.

Ejemplo: Es una pandilla de chicos . . . ➡
Era una pandilla de chicos . . .

A María Jesús: *Érase una vez en América*
Es una pandilla de chicos que crecen en un barrio y son raterillos, ladrones, son un poco traviesos y a uno de ellos lo cogen preso y va a la cárcel. Cuando sale ya está

en Estados Unidos la ley seca y sus amigos se han convertido en verdaderos mafiosos.

B Mari Mar: *El Novato*
Es un niño, ya adolescente, que es muy ambicioso, quiere ganar dinero rápido y se introduce en el mundo de la mafia. Conoce a un mafioso importante de la ciudad donde se basa la película, y él le va introduciendo en el campo de la mafia, le va enseñando los trucos hasta que llega un momento en que él se hace el jefe de toda la banda y se hace el jefe de toda la ciudad.

2 Contesta.

1 Es una película estupenda, ¿verdad?
Sí. ¡Qué película tan estupenda!

2 Es un argumento muy interesante, ¿verdad?
....

3 Los actores son extraordinarios, ¿verdad?
....

4 La historia es muy extraña, ¿verdad?
....

5 La música es fabulosa, ¿verdad?
....

6 El protagonista es muy guapo, ¿verdad?
....

7 El tema es muy difícil, ¿verdad?
....

8 Este personaje es muy antipático, ¿verdad?
....

Autoevaluación

Ya sabes . . .

hablar y expresar opinión sobre temas del cine, de la televisión, del teatro y de la literatura.

contar historias y películas.

hablar del pasado usando el pluscuamperfecto (Fui al restaurante pero había cerrado).

usar **ya** y **aún** para poner énfasis (Los pasteles ya se habían terminado, La película aún no había empezado).

11

¡Ayúdame!

Sección A *Actividades*

1 Mira los dibujos y elige los verbos
correspondientes del cuadro para
completar las frases.

| Coloca Da Dobla Gira Echa Baja |
| Levanta Pon Toca |

1 .... el brazo derecho.
2 .... la rodilla izquierda.

3 .... la cabeza hacia la
derecha.
4 .... la mano izquierda sobre la
cara.
5 .... las dos manos por detrás
de la cabeza.
6 .... la vuelta.
7 .... la cabeza hacia atrás.
8 .... los brazos.
9 .... los pies con las
manos.

2 Lee los consejos que se dan para la práctica de varios deportes. Coloca cada consejo en el deporte que le corresponden. Nota que hay uno consejo que corresponde a dos deportes.

A tenis **B** windsurf **C** ciclismo **D** natación

1 Si se sufre de los oídos, usar tapones especiales de venta en farmacias.
2 Beber regularmente para no deshidratarse.
3 Cuidar la espalda, poner el sillín a la altura adecuada.
4 Empezar poco a poco y entrenar bien antes de un partido.
5 Llevar chaleco salvavidas y tener siempre agua potable.
6 Llevar falda o pantalón corto para correr mejor.
7 Practicar cuando haya poca gente y mantenerse cerca de la costa.
8 Tener precaución si se va por la carretera.
9 Usar siempre gorro para proteger el cabello del cloro y gafas para evitar irritaciones.
10 Usar zapatillas de deporte para no resbalar sobre la tabla.
11 Si se ha comido mucho, esperar por lo menos dos horas para practicar este deporte.
12 Ir siempre por la derecha y si se va en grupo, en fila.

Sección A *Gramática*

1 Transforma las frases siguientes usando el imperativo.

1 Tienes que comprar esta camisa, es la más bonita.
Compra esta camisa, es la más bonita.
2 ¿Vas a cerrar la ventana o no?
....
3 Debes tener cuidado con tu trabajo.
....

4 Tienes que callarte cuando habla el profesor.
....
5 ¿Vas a hacer los deberes o no?
....
6 ¿Vas a abrir la puerta? Están llamando.
....
7 Debes repetir la frase varias veces.
....
8 Tienes que estudiar más; si no, no aprobarás los exámenes.
....
9 Debes venir a casa antes.
....

2 Transforma las frases, usando los imperativos con pronombres personales.

1 Tienes que comprar un abrigo para tu hija.
Cómpraselo.
2 Tienes que ponerte esta camisa, es muy bonita.
....
3 Tienes que darle los libros al profesor.
....
4 Debes explicar la lección al estudiante otra vez.
....
5 Tienes que escribir una carta a tu hermana.
....
6 Debes preparar el desayuno para los niños.
....
7 Debes regalar unos pendientes a tu hija.
....
8 Debes alquilar un coche para tus hermanas.
....
9 Debes dar la comida a las niñas.
....
10 Tienes que dar las flores a tu madre.
....
11 Tienes que comprar una casa para tus padres.
....

Secciones B y C *Actividades*

1 En este artículo faltan algunos verbos que están en el cuadro. Elige el verbo adecuado y escríbelo en imperativo plural (**vosotros**).

Ejemplo: Llevad bolsas de basura.

Atención: En Hispanoamérica esta forma no se usa; si quieres, practica el mismo texto con la forma **ustedes**.

Ejemplo: Lleven bolsas de basura.

aprender	comprar	viajar	contribuir
respetar (x2)	hacer	ir	llevar recordar
ser	tener (x2)	usar	utilizar venir

Vacaciones ecológicas en España

España es uno de los países más turísticos del mundo. Cada año visitan el país millones de turistas. El turismo ha traído grandes beneficios, pero también ha causado daños ecológicos. A continuación damos unos consejos para aprovechar al máximo las vacaciones respetando al mismo tiempo el medio ambiente.

Si vais a la playa **1** .... a mantenerla limpia. **2** .... siempre bolsas para la basura. **3** .... las plantas y los animales. Si viajáis a otros países **4** .... antes las costumbres locales y **5** .... respetuosos con ellas. **6** .... productos locales.

7 .... bien el agua y la electricidad. **8** .... el silencio, si queréis escuchar música en la playa, **9** .... cascos para no molestar a los demás.

10 .... mucho cuidado con el fuego en el bosque. **11** .... fuego solamente en lugares permitidos, **12** .... que cada verano hay algún incendio. **13** .... en bicicleta o **14** .... a pie. Si tenéis que hacer recorridos largos, **15** .... en cuenta que el transporte más ecológico es el tren. Y por último, **16** .... a España a divertiros y a aprender cómo somos los españoles.

2 Lee estas frases y escribe las frases negativas que tienen el mismo significado. Intenta hacerlo sin mirar los verbos del cuadro, pero míralos si necesitas ayuda.

beber	comer	conducir	ensuciar
hacer (x2)	malgastar	molestar	olvidar
viajar			

1 Respeta las plantas.
No estropees las plantas.

2 Mantén limpia la playa.
....

3 Usa bien el agua y la electricidad.
....

4 Respeta a los demás.
....

5 Lleva bolsas de basura.
....

6 Bebe con moderación.
....

7 Haz fuego en lugares permitidos.
....

8 Ve a pie.
....

9 Mantén el silencio.

....

10 Come poco.

....

11 Conduce con prudencia.

....

Secciones B y C *Gramática*

1 **a** Lee los consejos para la natación y el tenis de Actividad 2 (página 58) [Sección A Actividades]. Pon las frases en imperativo plural (**vosotros**) y haz los cambios necesarios en el resto de la frase.

Ejemplo: *Si sufrís de los oídos, usad tapones especiales de venta en farmacias.*

b Pon las frases en imperativo plural (**ustedes**).

2 Transforma las frases de **tú** a **vosotros**. Recuerda: haz los cambios necesarios en toda la frase.

¡Atención!: cuando las formas en -**ad**, -**ed**, -**id** llevan el pronombre personal (**os**) detrás, pierden la **d** final: **llevad → llevaos.**

1 Llévate a los niños al parque.
Llevaos a los niños al parque.

2 Ponte el abrigo, si no tendrás frío.

....

3 Vente al cine conmigo.

....

4 Cómprate este collar, es precioso.

....

5 Vístete, niño, vamos a salir.

....

6 Dúchate mientras preparo la comida.

....

7 Márchate ya, llegarás tarde.

....

8 Cuídate mucho, no debes trabajar todavía.

....

9 Báñate, el agua está muy buena.

....

Secciones D y E *Actividades*

1 Une las frases de la Lista A con las de la Lista B para formar frases completas.

Lista A
1 Odio la publicidad si
2 Opino que la publicidad es
3 Creo que en la televisión
4 Los artículos más anunciados
5 En mi opinión no deberían
6 La verdad es que a mí
7 Pienso que la publicidad no

Lista B
a anunciarse tantos coches.
b hay demasiados anuncios.
c aparece en medio de las películas.
d importante para informarnos.
e los anuncios no me molestan.
f ofrece una imagen digna de la mujer.
g son cosas de lujo, innecesarias.

2 Lee los anuncios siguientes. Pon el número del anuncio en el dibujo correspondiente.

ANUNCIOS

1 Venga a Galerías Marqués. Llévese todo para el hogar: sábanas, toallas, edredones, mantas, alfombras y mucho más.

2 Pisos a media hora del centro, con transporte cada diez minutos hasta la misma puerta de su casa. Viva en el campo, pero vaya en un momento al centro de la ciudad. Venga a ver nuestros pisos. ¡Acuérdese! Los pisos del futuro.

3 Ordenadores para toda la familia: Juega y trabaja. Cambia tu vida. Ven a ver tu nuevo ordenador en 'Techno'.

4 Encuentra en Almacenes 'Primero' las prendas más modernas y juveniles para llevar este invierno. Viste en 'Primero'.

5 Hable idiomas con Academia Pérez. Estudie con los más modernos sistemas de enseñanza. Exija calidad. Venga a visitarnos.

6 Todo para el colegio en 'Mundo joven': Encuentra tus cuadernos favoritos, busca la mejor mochila. Sé el primero en estar equipado para el nuevo curso. Para sacar las mejores notas entra en el mundo de 'Mundo joven'.

7 Todo para su jardín. Plante ahora y disfrute la próxima primavera. Le esperamos en 'Viveros Luis'

Secciones D y E *Gramática*

1 Haz dos listas con los imperativos que aparecen en los anuncios de Actividad 2 arriba: formal (**usted**) e informal (**vosotros**).

2 Lee los consejos para el ciclismo y el windsurf de Actividad 2 de la página 58 [Sección A, Actividades]. Pon las frases en imperativo singular (**usted**) y haz los cambios necesarios en el resto de la frase.

Ejemplo: Beba regularmente para no deshidratarse.

3 Pon las mismas frases en imperativo plural (**ustedes**) y haz los cambios necesarios en el resto de la frase.

Ejemplo: Beban regularmente para no deshidratarse.

Autoevaluación

Ya sabes . . .

dar instrucciones, órdenes y consejos.

hablar de la publicidad.

usar el imperativo informal (Haz los deberes).

usar el imperativo formal (Pase usted al despacho).

usar los imperativos con pronombres (Dáselo).

12

¿Qué me aconsejas?

Secciones A y B *Actividades*

1 Une las frases de las tres listas (A, B y C).

Lista A

1 Es mejor que te
2 Espero que mi hermana
3 Quiero que mis hijos
4 Te recomiendo que
5 Es aconsejable que usted
6 Me molesta que
7 Cuando vengas
8 Deseo que el mal tiempo

Lista B

a estudien mucho para que
b haya tanta gente que
c levantes pronto
d pase pronto para que
e pidas el pescado
f salga más de casa para que
g te presentaré a mis hermanas
h venga a verme pronto

Lista C

i   no respeta la naturaleza.
ii podamos salir a pasear.
iii porque está muy fresco.
iv porque la echo de menos.
v   porque si no llegarás tarde al trabajo.
vi porque son muy simpáticas.
vii saquen buenas notas en los exámenes.
viii se recupere pronto.

2 **a** Completa los consejos con los verbos en la forma correspondiente – si necesitas ayuda, encontrarás los verbos, en infinitivo, en el cuadro.

comprar   conducir   dejar   leer   llevar
comer   poner (x2)   tirar   usar   mirar
vestir

1 Es mejor que .... menos grasas, no es bueno para tu salud.
2 (vosotros) No .... papeles al suelo.
3 Es importante que (tú) .... el espejo retrovisor antes de arrancar.
4 Te sugiero que .... cheques de viaje.
5 Te aconsejo que .... la etiqueta para saber lo que lleva esto, antes de probarlo.
6 Le sugiero que (usted) .... tejidos naturales.
7 Es aconsejable que (usted) .... despacio por aquí.
8 Es mejor que (él) .... la tarjeta de crédito en lugar seguro.
9 Es aconsejable que (vosotros) no .... rotuladores elaborados con sustancias contaminantes.
10 (ustedes) No .... cosas que lleven mucho envoltorio.
11 Te sugiero que no te .... tanto maquillaje.
12 (tú) No .... las persianas cerradas si sales de viaje.

b Di a qué categoría corresponden los consejos.
A Medio Ambiente   **B** Seguridad
C Salud   **D** Tráfico
E Belleza y moda

Secciones A y B *Gramática*

1 Transforma las frases.

1 Debes tomar la medicina. (mejor)
   Es mejor que tomes la medicina.
2 Tienes que ir a trabajar pronto. (mejor)
   ....
3 Tienes que hacer los deberes. (aconsejar)
   ....
4 Debes salir todos los días a pasear.
   (recomendar)
   ....
5 Debes ver la película, es muy buena.
   (sugerir)
   ....
6 Tienes que llegar pronto a la reunión.
   (mejor)
   ....
7 Debes poner las plantas al sol. (recomendar)
   ....
8 Tienes que traer a tus amigos a la fiesta.
   (sugerir)
   ....

2 Contesta las preguntas.

1 ¿Qué tomamos, café o chocolate? –(yo)
   recomendar (ustedes) tomar café
   Les recomiendo que tomen café.
2 ¿A dónde vamos, a la playa o a la montaña?
   –(nosotros) aconsejar (vosotros) a la
   montaña
   ....
3 ¿Qué trabajo elijo, el de secretario o el de
   recepcionista? –(yo) sugerir (usted) elegir el
   de recepcionista
   ....
4 ¿Qué regalo le compro a Ana, un reloj o
   unos pendientes? –(mejor) (tú) comprar un
   reloj
   ....
5 ¿Vamos al cine o al teatro? –(yo)
   recomiendo (vosotros) ir al teatro
   ....

6 ¿Qué estudio, química o matemáticas?
   –(nosotros) aconsejar (tú) estudiar química
   ....
7 ¿A quién le damos el premio, a Luis o a
   Carlos? –(nosotros) sugerir (vosotros) dar el
   premio a Carlos
   ....
8 ¿Qué pongo para cenar hoy, carne o
   pescado? –(yo) recomendar (tú) poner
   pescado
   ....

Secciones C, D y E *Actividades*

1 Escribe los infinitivos entre paréntesis en
la forma correspondiente.

1 Deseamos que .... (haber)
   paz en el mundo.
2 Quiero que mi empresa ....
   (recuperarse) económicamente.
3 Me apena que tanta gente no
   .... (poder) comer.
4 Quiero que mi padre ....
   (seguir) en su puesto.
5 Me da pena que estas enfermedades no
   .... (poder) curarse.
6 Me gusta que .... (haber)
   silencio en mi edificio.
7 Deseamos que ....
   (descubrirse) curas para muchas
   enfermedades.
8 Me gusta que mis hijos ....
   (ser) educados con la gente.
9 Me horroriza que ....
   (haber) tantas guerras.
10 Me molesta que .... (existir)
   diferencias tan grandes.
11 Me preocupa que nosotros
   .... (tener) tantas deudas.
12 No me gusta que los vecinos
   .... (hacer) tanto ruido.
13 Quiero que mi equipo ....
   (ganar) el campeonato.

14 Me molesta que ellos .... (portarse) mal en público.

15 Quiero que todas las personas .... (ser) iguales.

16 Tengo miedo de que .... (echarle) de su trabajo.

17 Deseo que .... (acabarse) el hambre en el mundo.

18 Me disgustaría que .... (perder) el próximo partido.

2 a ¿Qué frases de Actividad 1 indican 'deseo' y qué frases indican 'queja' o 'molestia'? ¿Qué frases indican algo general y algo personal? Completa el cuadro.

	deseo	**queja/molestia**
general		
personal		

b Forma parejas con las frases correspondientes (un deseo corresponde a una queja).

Ejemplo: **15** Quiero que todas las personas sean iguales. + **10** Me molesta que haya diferencias tan grandes.

3 a Completa la carta con la forma correspondiente de los verbos del cuadro.

conocer   poder   gastar   traer (x2)
llegar (x2) sacar   tener (x3)   llamar
venir (x3)   estar

Hola, ¿qué tal?

Te escribo para que **1** .... a pasar unos días conmigo en mi ciudad. Dentro de dos semanas son las fiestas y quiero que **2** .... conmigo en mi casa porque lo pasaremos muy bien. Si puedes, es mejor que **3** .... la semana que viene porque así tendremos tiempo de charlar, ir de compras, y también quiero que **4** .... a mis amigos. Además, te recomiendo que **5** .... el billete para el avión pronto porque ahora hay billetes muy baratos, pero no creo que **6** .... problemas para obtener un billete en estas fechas. Cuando **7** ...., iré a buscarte al aeropuerto con el coche para que no **8** .... que tomar el tren a la ciudad con todo el equipaje, pero es necesario que me **9** .... cuando **10** .... Es importante que **11** .... ropa cómoda y fresca, porque aquí hace ahora mucho calor. De todos modos, te sugiero que no **12** .... muchas cosas porque aquí puedes comprar de todo y las cosas están muy baratas. Cuando **13** .... podremos comprar algo elegante para las fiestas. Dudo que **14** .... mucho, ya que dormirás y comerás en mi casa, pero trae bastante dinero por si acaso. Espero que no **15** .... problemas para venir. ¡Ojalá **16** .... pasar unos días juntos!

b Busca las expresiones en la carta que corresponden a cada categoría.

A Consejo   **B** Deseo
C Tiempo futuro   **D** Finalidad (**para que**)
E Duda
F Necesidad

Secciones C, D y E *Gramática*

1 Transforma las frases.

1 Quiero aprender a conducir (mi hija)
Quiero que mi hija aprenda a conducir.

2 Quiero aprobar los exámenes. (mis hijos)

....

3 Quiero ir a la universidad y estudiar una carrera. (vosotros)

....

4 Me gustaría encontrar trabajo en una oficina. (mi hermano)

....

5 Deseo viajar al extranjero. (mi hijo)

....

6 Me gustaría casarme con alguien inteligente. (tú)

....

7 Quiero comprar una casa grande con piscina. (mis padres)

....

8 Deseo comprarme un coche muy grande. (mis amigos)

....

9 Deseo tener menos trabajo. (vosotros)

....

10 Quiero ganar un premio en la lotería. (nosotros)

....

2 Pon los verbos entre paréntesis en la forma correspondiente. Pero, atención, no todos son subjuntivos.

1 Es importante que tú .... (estudiar) más español para que .... (subir) de nivel.

2 Yo no quiero .... (quedarme) en casa toda la tarde, quiero que vosotros .... (venir) conmigo al cine.

3 Te aconsejo que .... (pensar) lo que vas a .... (hacer) en el futuro para que .... (poder) decidir las asignaturas que .... (querer) estudiar.

4 ¡Niño, ... (portarte) bien! No me gusta que los niños .... (hacer) ruido y me molesta mucho que tú .... (portarte) mal.

5 No quiero .... (acostarme) tarde porque mañana .... (estar) muy cansada y no quiero .... (llegar) tarde al trabajo y que .... (despedirme).

6 Quiero que mi hermano .... (trabajar) en mi empresa cuando él .... (venir) a vivir aquí, pero dudo que .... (estar) cualificado para .... (realizar) este tipo de trabajo.

7 Cuando .... (venir) a vivir a mi ciudad, yo .... (presentarte) a mis amigos para que .... (conocer) a más gente.

8 Es mejor que vosotros .... (volver) a casa pronto y así cuando .... (llegar) Ana y Carlos .... (poder) ir a dar un paseo todos juntos.

9 Tienes que .... (ayudar) a tu hijo para que .... (aprobar) el examen, pero también es necesario que él .... (hacer) siempre todos los deberes.

Autoevaluación

Ya sabes . . .

dar consejos.

recomendar.

expresar molestias.

expresar deseos.

expresar dudas.

hablar del futuro.

usar el subjuntivo con expresiones de consejo, deseo, de finalidad, de tiempo, etc.

13

¿Qué harías?

Secciones A y B *Actividades*

1 Escribe preguntas utilizando frases del cuadro.

> acompañarme – arreglarlo – entrar a verle – explicármela – hacerlo fuera – abrir la ventana – invitarnos a comer con ellos – llevarme en tu coche – prestárselos – probarlo – venir con nosotros

1 ¡Qué frío hace! ¿(usted) poder? (+ cerrar la puerta)
¿Podría cerrar la puerta?

2 ¡Qué calor hace! ¿(tú) poder?
....

3 ¡Qué tarde es! ¿(tú) importarte?
....

4 Está prohibido fumar aquí. ¿(usted) poder?
....

5 El señor Garcés le está esperando. ¿(usted) tener la amabilidad de?
....

6 No quiero volver solo a casa. ¿(tú) querer?
....

7 Mis padres no han traído esquís. ¿(vosotros) importaros?
....

8 Queremos conocer a sus amigos. ¿(ustedes) importarles?
....

9 Vamos a ir a nuestra casa de la playa. ¿(vosotros) querer?
....

10 He hecho un pastel. ¿(vosotros) gustaros?
....

11 No comprendo la lección. ¿(tú) importarte?
....

12 El coche está estropeado. ¿(usted) poder?
....

2 **a** Lee la entrevista de trabajo y pon los infinitivos en paréntesis en la forma correspondiente del condicional (-**ría**).

Entrevista de trabajo

(DP = Director de personal; E = Elisa)

DP: ¿Cuál es pues su proyecto a largo plazo?

E: Pues a largo plazo me **1** .... (encantar) poder trabajar como ejecutiva en una empresa parecida a ésta, en una empresa puntera. **2** .... (Desear) ascender poco a poco. Y también me **3** .... (gustar) ganar un buen sueldo. Pero ahora este puesto de secretaria bilingüe **4** .... (ser) ideal para mí. Además **5** .... (poder) practicar los tres idiomas que hablo.

DP: Entonces, ¿cuál **6** .... (ser) su sueldo ideal?, porque el sueldo que le **7** .... (ofrecer) nosotros, caso de darle a usted el puesto, no **8** .... (ser) muy alto…

E: Pues en estos momentos no me **9** .... (importar) ganar poco, lo que yo **10** .... (querer), **11** .... (ser) adquirir experiencia.

DP: ¿Pero está usted segura de que se **12** .... (sentir) satisfecha en un puesto como éste?

E: Sí, por supuesto; además trabajar en una empresa como la suya **13** .... (ser) muy importante para mí, creo que **14** .... (estar) muy a gusto con ustedes.

DP: ¿Y qué cualidades cree usted que **15** .... (poder) aportar a la empresa?

E: Pues soy eficaz y adaptable. Aunque no tengo experiencia, creo que **16** .... (aprender) rápidamente y me **17** .... (integrar) fácilmente en su equipo.

DP: ¿Y cuándo le **18** .... (interesar) empezar?

E: Pues cuanto antes mejor.

DP: **19** ¿(Estar) .... dispuesta a viajar frecuentemente?

E: Sí, por supuesto, **20** .... (aceptar) encantada esa oportunidad. No **21** .... (tener) ningún problema, ya que vivo sola.

DP: En ese caso, **22** .... (trabajar) usted hasta muy tarde, o los fines de semana, ¿lo **23** .... (hacer)?

E: Sí, por supuesto, **24** .... (hacer) todo lo necesario, no me **25** .... (importar) adaptarme a cualquier horario.

b Di si las frases son verdaderas (V) o falsas (F).

1 El trabajo para el que entrevistan a Elisa es de ejecutiva. ....

2 Esta empresa es importante. ....

3 Elisa no sabe idiomas pero quiere aprender y practicar. ....

4 Elisa querría ganar un buen sueldo en este trabajo. ....

5 El sueldo que le pagarían no sería muy alto. ....

6 El director de personal cree que quizás Elisa no se sentiría a gusto en este puesto. ....

7 Elisa dice que aprendería despacio, pero bien. ....

8 Elisa dice que le gustaría trabajar con los demás empleados, en grupo. ....

9 No puede empezar inmediatamente. ....

10 Elisa dice que no le gustaría viajar a menudo. ....

11 A Elisa no le importaría trabajar los domingos. ....

Secciones A y B *Gramática*

1 Transforma las frases.

1 Quiero escuchar música clásica.
  Escucharía música clásica.

2 Quiero brindar con champán.
  ....

3 Quiero viajar por todo el mundo.
  ....

4 Quiero trabajar en esta empresa.
  ....

5 Quiero ir a la montaña.
  ....

6 Quiero tener vacaciones.
  ....

7 Quiero leer todo el día.
  ....

8 Quiero hacer una fiesta.
  ....

9 Quiero salir con mis amigos.
  ....

2 Contesta las preguntas

1 ¿Saldrías conmigo? (Sí)
  Sí, saldría contigo.

2 ¿Vendríais con nosotros otra vez? (Sí)
  ....

3 ¿Irían Luis y Sara a la piscina con nosotros? (Sí)

....

4 ¿Podrían comprar este coche tus padres? (No)

....

5 ¿Cuidarías tú al niño esta noche? (Sí)

....

6 ¿Comeríais con nosotros el día de Navidad? (Sí)

....

7 ¿Querríais asistir a la conferencia? (Sí)

....

8 ¿Me darías más dinero cada mes, papá? (No)

....

9 ¿Dirías el secreto? (No)

....

Secciones C y D *Actividades*

1 Tus vacaciones ideales: ¿Qué harías si tuvieras dinero y fueras a Hispanoamérica? Lee la información y escribe un par de frases para cada país.

Ejemplo: Si fuera a Perú visitaría Machu Picchu y sus ruinas incas.

En el **Perú** se encuentran todos los paisajes y todas las riquezas. Destacamos para el visitante Machu Picchu, en cuyas cimas están las ruinas incas, o el Lago Titicaca, el más alto del mundo.

En **Venezuela** tiene la posibilidad bañarse en las cristalinas aguas del Caribe, tomar el sol en sus playas doradas, atravesar sus espesos bosques y ver sus impresionantes cascadas que iluminan la selva amazónica.

Colombia se descubre cada día: caminar por las calles de Bogotá. Visitar sus espléndidas iglesias y fantásticos museos; o también, en Cartagena de Indias ver castillos y murallas.

Ecuador cuenta con una de las reservas biológicas más importantes de Sudamérica. Podrá recorrer La Amazonia, paraíso natural; en sus aguas podrá ver caimanes, pirañas y delfines rosas y podrá también viajar a las Islas Galápagos, Parque Nacional, para ver las tortugas gigantes que son mundialmente famosas.

2 Une las preguntas con las respuestas que están mezcladas en el cuadro y haz frases.

la nieve   Argentina   el cuchillo   un abrigo   el ratón   la sangría   cordero asado   el amor   una rosa   natillas de fresa   un olmo   amarillo

1 ¿Si fueras un libro? Si fuera un libro sería Don Quijote

2 ¿Si fueras una prenda de vestir?

....

3 ¿Si fueras una comida? ....

4 ¿Si fueras un helado? ....

5 ¿Si fueras una planta o un árbol?

....

6 ¿Si fueras una flor? ....

7 ¿Si fueras un color? ....

8 ¿Si fueras un animal? ....

9 ¿Si fueras un utensilio de cocina?

....

10 ¿Si fueras un país? ....

11 ¿Si fueras una bebida? ....

12 ¿Si fueras un dulce? ....

13 ¿Si fueras un sentimiento?

....

14 ¿Si fueras un fenómeno meteorológico?

....

Secciones C y D *Gramática*

1 a Escribe un párrafo sobre lo que haría cada persona si le tocara la lotería.

Empieza: Si le tocara la lotería a Mari Mar . . .

1 Mari Mar
llevar una vida como la que lleva ahora / montar un negocio en peluquería / dar trabajo a otras personas / hacer viajes / tener mucha tranquilidad

2 María Jesús
comprar un piso muy grande y un apartamento en la playa / viajar y conocer el mundo

3 Javier
viajar / ayudar a mucha gente / gastarlo

    b Escribe sobre lo que harías tú usando las claves.

Yo comprar casa / ayudar a la familia / dar parte a los amigos / pasar unas vacaciones en el Caribe / desaparecer una temporada en una isla desierta / tener un yate de lujo / salir a celebrarlo / beber mucho cava / bailar / gastar / comprar más lotería

2 Contesta las frases usando las claves.

1 Mi piso es muy grande y caro. Me gustaría tener un piso más pequeño.
–Si (tú) tener piso más pequeño / ser más barato
Si tuvieras un piso más pequeño, sería más barato.

2 Tengo una cocina muy pequeña. Me gustaría tener una cocina más grande.
–Si (tú) tener una cocina más grande / (tú) poder comer en ella.

....

3 Tenemos un cuarto de baño muy pequeño. Nos gustaría tener un cuarto de baño más grande.
–Si (vosotros) tener un cuarto de baño más grande / (vosotros) poder tener una bañera muy grande.

....

4 Tienen un salón muy pequeño. Les gustaría tener un salón más grande.
–Sí, (ellos) tener un salón más grande / (ellos) poder tener muchos invitados.

....

5 No tengo terraza. Me gustaría tener una terraza.
–Si (tú) tener una terraza / (tú) poder tomar el sol.

....

6 Nuestro piso está en las afueras. Nos gustaría tener un piso en el centro.
–Si (vosotros) tener un piso en el centro / (vosotros) salir todas las noches.

....

7 Sus vecinos hacen mucho ruido. Le gustaría tener una casa.
–Si (él) tener una casa, / (él) no tener ruidos.

....

Autoevaluación

Ya sabes . . .

hablar y escribir lo que harías tú y lo que harían los demás.

pedir algo en situaciones formales: Le importaría, podría, etc.

hablar y escribir de lo que harías (o harían los demás) o lo que pasaría si algo ocurriera: si te tocara la lotería, si tuvieras mucho dinero, etc.

usar el condicional (formas -**ría**): vería, iría, visitaría, etc.

usar el subjuntivo imperfecto: comprara, comiera, fuera, tuviera, etc.

14

Repaso

Actividades y gramática

Lección 8

1 Haz el test de conocimientos.

Una máquina que cambió el mundo: El ordenador

1 El primer ordenador electrónico del mundo se construye entre los años:
a 1942–1949 **b** 1949–1952 **c** 1939–1942

2 El profesor Atanasof y su alumno Berry construyen este primer ordenador electrónico en:
a Alemania **b** Estados Unidos **c** Rusia

3 La primera calculadora se construye en:
a 1945 **b** 1940 **c** 1950

4 Esta primera calculadora que se construye en Estados Unidos, mide:
a 1.67 metros cuadrados **b** 16.7 metros cuadrados **c** 167 metros cuadrados

5 Alan Sugar inventa el primer disquete o disco 'floppy', que es un disco de ocho pulgadas y capaz de almacenar 100Kb en:
a 1971 **b** 1961 **c** 1981

6 El disquete actual, que mide 3,5 pulgadas, lo inventa:
a Bill Gates **b** IBM **c** Sony

7 El primer disco duro, que sólo almacena 5MB y cuesta millones, lo inventa en 1956:
a IBM **b** Sony **c** Xerox

8 El primer disco duro para ordenadores personales no aparece hasta:
a 1970 **b** 1980 **c** 1990

9 El 'ratón', que hace a los ordenadores más accesibles para millones de personas, lo inventa Douglas C. Engelbart en:
a 1973 **b** 1983 **c** 1963

10 La compañía Apple sorprende al mundo con el ordenador Macintosh en:
a 1979 **b** 1984 **c** 1980

11 Ray Tomlinson envía el primer mensaje de correo electrónico desde un ordenador a otro que está en la misma habitación en:
a 1981 **b** 1991 **c** 1971

12 Aunque los CD ROM, que revolucionan el mundo de las aplicaciones multimedia y los juegos, no aparecen masivamente en los ordenadores hasta comienzos de los años noventa, el primer CD ROM, que tiene una capacidad de 550MB, aparece en:
a 1985 **b** 1980 **c** 1975

2 Comprueba tus respuestas para Actividad 1 en la Clave (página 111) y escribe en el pasado las frases completas del test de conocimientos.

Ejemplo: *El primer ordenador electrónico del mundo se construyó entre los años 19XX–19XX.*

Lección 9

3 Escribe la historia. Usa las claves y la forma **nosotros**.

1 Año / pasado / amigos / y / yo / ir / vacaciones / Pirineo.
....

2 Un día / hacer excursión / y / subir / montaña / muy / alta.
....

3 De repente / empezar / gran tormenta / llevar / poca ropa / llover mucho / y / frío.
....

4 Pero / no poder / parar / aunque / estar / muy cansados.
....

5 Por fin / llegar / refugio / y / estar / allí / hasta / pasar / tormenta.
....

6 Estar / muy / mojados / tener / mucho sueño / pero / no poder / dormir.
....

7 Después / bajar / pueblo/ tener / mucha hambre / y / cenar / algo caliente.
....

8 Entonces / acostar.
....

4 Escribe las preguntas y respuestas.

1 ¿Qué / hacer / tú / cuando / llegar / tu hermano?
–Yo / leer / salón
¿Qué hacías tú cuando llegó tu hermano?
–Yo estaba leyendo en el salón

2 ¿Qué / hacer (vosotros) / cuando / ladrón / entrar / vuestra casa?
–(Nosotros) dormir
....

3 ¿Qué / hacer (tú) / cuando / (yo) llamar / por teléfono?
–Ducharme
....

4 ¿Qué / hacer / Luis / cuando / robarle / el coche / en la gasolinera?
–Pagar / gasolina
....

5 ¿Qué / tiempo / hacer / cuando / (vosotros) salir / anoche?
–Llover
....

6 ¿Qué / hacer / los empleados / cuando / sonar / la alarma?
–Hablar / ventas anuales
....

7 ¿Qué / hacer / los estudiantes / cuando / entrar / el profesor?
–Hacer / deberes
....

5 **a** Lee la noticia del periódico y pon las preposiciones que faltan.

El misterioso caso **1**.......... la desaparición **2**.......... Pablo Marín sigue **3**.......... solucionarse. El joven desapareció hace diez días **4**.......... Barcelona y sigue **5**.......... aparecer. **6**.......... esta situación, la policía ha dado más datos **7**.......... el caso **8**.......... ver si alguien puede ayudarles **9**.......... alguna pista **10**.......... encontrar **11**.......... Pablo.

Pablo, un chico de veinte años, fuerte y alto, **12**.......... un metro ochenta, es rubio **13**.......... ojos azules. La policía encontró su coche cerca **14**.......... Barcelona. Al parecer, el coche chocó **15**.......... un árbol, pero no se encontró **16**.......... Pablo. **17**.......... el coche había una chaqueta y una camisa manchadas **18**.......... sangre. Pablo volvía **19**.......... pasar un fin **20**.......... semana **21**.......... la playa. Un vecino lo vio **22**.......... última vez la noche del viernes 3 **23**.......... agosto, cuando Pablo salía **24**.......... su casa **25**.......... ir **26**.......... la playa. Pablo iba **27**.......... pasar el fin **28**.......... semana **29**.......... casa **30**.......... una amiga. Pero esta amiga, **31**.......... la que Pablo tenía que estar, llamó **32**.......... sus padres el sábado **33**.......... la noche **34**.......... preguntar **35**.......... él. La policía cree que quizás unos ladrones atracaron **36**.......... Miguel **37**.......... su coche y éste quizás luchó **38**.......... ellos. Quizás está herido o secuestrado **39**.......... alguna parte. La policía aún tiene esperanzas **40**.......... poder encontrarlo **41**.......... vida.

b Contesta las preguntas.

1 ¿Qué edad tenía Pablo cuando desapareció?
....

2 ¿Cuándo desapareció?
....

3 ¿Dónde encontraron su coche?
....

4 ¿Dónde encontraron la ropa?
....

5 ¿Cómo estaba la ropa?
....

6 ¿Dónde estaba Pablo antes de desaparecer?
....

7 ¿A quién llamó la amiga de Pablo?
....

8 ¿Sabe la policía lo que le pasó a Pablo?
....

9 ¿Está herido Pablo?
....

Lección 10

6 **a** Cada una de las siguientes frases corresponde a una u otra de las noticias de la página 75 o a las dos. Indica A, B, o A+B para cada frase.

1 Unos ladrones entraron en una tienda.
....

2 Había niños dentro. ....

3 Robaron joyas. ....

4 Escaparon en un coche. ....

5 Después del robo alguien llamó a la policía.
....

6 Los ladrones dejaron unas joyas en un coche. ....

7 Los ladrones no hicieron daño a nadie durante el robo. ....

8 La policía no ha arrestado a los ladrones.
....

A

Unos ladrones entraron en un piso de Madrid, pero cuando habían entrado, se dieron cuenta de que en la casa había dos niños de doce y catorce años, que eran los hijos de la familia que vivía en el piso. Los ladrones al principio no sabían qué hacer. Uno de ellos se quedó viendo la televisión y jugando con los niños, mientras los otros robaron dinero, joyas y todo lo que encontraron de valor. Cuando se fueron, los niños llamaron por teléfono móvil a su madre que había salido a comprar horas antes. Los niños le contaron lo que había pasado y le dijeron que los ladrones les habían dado caramelos y que habían sido muy simpáticos con ellos. La madre volvió a casa inmediatamente y, aunque le habían robado muchas cosas, estaba contenta porque los niños no habían sufrido daños físicos y porque dos días antes de ocurrir el atraco había hecho un seguro contra robos.

B

Tres jóvenes robaron ayer una joyería en la calle Chueca. Se llevaron joyas por valor de un millón de euros. El dueño de la joyería dio la alarma y llamó a la policía, pero cuando la policía llegó, los ladrones ya habían salido de la tienda y corrían hacia el coche que había estado esperándolos todo el tiempo. La policía siguió al coche, pero lo perdieron durante unos minutos. Al cabo de un rato encontraron el coche que los ladrones habían abandonado en una calle sin salida. La policía encontró dentro del coche parte de las joyas que los ladrones habían abandonado en su huída. El coche era azul, matrícula de Barcelona, que había sido robado días antes. Ayer la policía comunicó que aún no había encontrado a los ladrones. Mientras tanto, en la joyería, el dueño tuvo que ser trasladado al hospital, aunque no había sufrido heridas, y un cliente que había entrado unos minutos antes para comprar un anillo para su novia, tuvo un ataque de nervios.

b Contesta estas preguntas.

1 ¿Quién entró en una joyería?

....

2 ¿Quién llamó a la policía?

....

3 ¿Quién persiguió un coche?

....

4 ¿Quién se quedó con los niños?

....

5 ¿Quién volvió a su casa?

....

6 ¿Quién tuvo que ir al hospital?

....

7 ¿Quién llamó a un miembro de su familia?

....

8 ¿Quién dio a quién unos caramelos?

....

7 **a** Lee las tres historias y pon el infinitivo, entre paréntesis, en la forma correspondiente.

Historia A

Durante las vacaciones pasadas un día mis amigos y yo **1** .... (ir) de excursión al campo. **2** .... (hacer) mucho calor, no **3** .... (llover) durante meses y el río **4** .... (secarse). No **5** .... (haber) agua por ninguna parte y **6** .... (darme) cuenta de que **7** .... (olvidarnos) las botellas del agua. Cuando **8** .... (ir) a comer, y al **9** .... (abrir) el maletero **10** .... (ver) que **11** .... (dejarnos) en casa la bolsa con los bocadillos. **12** .... (Ir) a una zona donde no **13** .... (haber) árboles y **14** .... (darme) cuenta de que no **15** .... (coger) mi sombrero y **16** .... (coger) una insolación. **17** .... (Estar) muy enfermo.

Historia B

Una vez, cuando **1** .... (ser) pequeña **2** .... (ir) al campo con mis padres y mi hermano y cuando **3** .... (terminar) de comer, yo **4** ………. (ir) a jugar por el bosque y **5** ………. (perderme). Mis padres al principio **6** ………. (estar) tranquilos porque no **7** ………. (darse) cuenta de que **8** ………. (ser) bastante tarde y yo no **9** ………. (volver) aún. De repente **10** ………. (asustarse) y **11** ………. (empezar) a buscarme. No **12** ………. (tardar) en encontrarme pero yo **13** ………. (pasar) mucho miedo.

Historia C

El otro día **1** ………. (ir) por la calle y **2** ………. (estar) muy oscuro, entonces **3** ………. (oír) unos pasos detrás de mí y me **4** ………. (dar) la vuelta, pero no **5** ………. (ver) a nadie. **6** ………. (Empezar) a llover y yo **7** ………. (estar) muy mojada porque no **8** ………. (coger) mi paraguas. Alguien que **9** ………. (llevar) un paraguas grande y negro **10** ………. (acercarse) por detrás y me **11** ………. (tocar) en el hombro. Yo me **12** ………. (asustar) mucho, porque ya **13** ………. (oír) los pasos antes, pero no **14** ………. (ver) a nadie, pero cuando **15** ………. (mirar) otra vez, **16** ………. (ver) que **17** ………. (ser) mi hermano que me **18** ………. (seguir) durante bastante rato.

b Contesta las preguntas con A, B, A+B, B+C, etc.

1 ¿Que historia(s) ocurre(n) en una zona seca? ……………

2 ¿En qué historia(s) tiene alguien miedo? ……………

3 ¿En qué historia(s) llueve mucho? ……………

4 ¿En qué historia(s) no ha llovido durante mucho tiempo? ……………

5 ¿En qué historia(s) alguien no lleva ropa adecuada? ……………

6 ¿Qué historia(s) ocurre(n) en el campo? ……………

7 ¿Qué historia(s) ocurre(n) en la ciudad? ……………

8 ¿En qué historia(s) había dejado algo importante en casa? ……………

Lección 11

8 **a** Lee el horóscopo de los regalos y pon los verbos del cuadro en la forma del imperativo correspondiente. Atención, no olvides los pronombres.

aguantar	comerlo	darle	hacer (x2)
invitarlo/la	irse	leerla	llevar
pedirle	llevarlo/la		marcharse (x2)
ponérselo	prepararle		regalarle/
comprarle (x8)		tomar	tomarlo

Aries
Le encantan las joyas y los objetos de lujo. ……………… un bonito reloj o un collar de perlas y le harás feliz con una joya o con un objeto relacionado con temas militares.

Tauro
Le encantan los viajes exóticos. ……………… una sorpresa y ……………… una reserva para él/ella en un vuelo a cualquier lugar de Centroamérica o al Amazonas y ……………… juntos, te lo agradecerá.

Géminis
Le encantan los perfumes caros y la ropa. ……………… un buen perfume y muchas camisetas con estilo. ……………… a una persona Géminis a cenar a un restaurante de lujo y te lo agradecerá para siempre.

Cáncer
Le encanta la fotografía artística y la pintura. ……………… que te haga un retrato y lo hará con gusto. ……………… a visitar una exposición fotográfica y ……………… algo juntos en un lugar tranquilo.

Leo

Le gusta presumir y siempre lleva ropa y complementos de firma. .... a una casa de moda famosa y .... un buen traje o simplemente unas gafas de sol o un bolso. Luego .... prestado y ¡ .... tú!

Virgo

Le gusta mucho comer dulces. .... un buen pastel de cumpleaños y .... juntos.

Libra

Le fascina leer un buen libro. .... una buena novela negra y .... juntos las tardes lluviosas de domingo.

Escorpio

Le gusta la magia y le encantan los horóscopos. .... a un adivino para saber vuestro futuro juntos. Pero cuida, quizás el vuestro no es un buen futuro en común.

Sagitario

Todo lo que tiene que ver con la vida al aire libre le encanta. .... unas botas y .... de excursión juntos por la montaña. ¿Que a ti no te gusta? Pues .... un pequeño sacrificio y .... con una sonrisa.

Capricornio

Viven para el trabajo. Su trabajo es vital para ellos/ellas. .... un abrecartas, una agenda.

Acuario

Le encantan los monumentos y el agua. .... una fuente para su jardín.

Piscis

.... cualquier objeto relacionado con el mar.

b Contesta las preguntas.

¿A qué signo(s) . . .
1 le gustan los caramelos? ....
2 le gusta visitar lugares interesantes? ....
3 le gusta trabajar? ....
4 le gusta visitar edificios antiguos? ....
5 le gusta la lectura? ....
6 le gusta el arte? ....
7 le gusta salir al campo? ....
8 le gustan las joyas? ....
9 le gusta vestir bien? ....
10 le gusta adivinar el futuro? ....
11 le gusta la costa? ....

9 Completa el cuadro con las formas del imperativo que faltan.

tú	vosotros	usted	ustedes
come	1	2	coman
3	salid	salga	4
5	id	6	7
8	9	venga	vengan
10	decid	11	12
ten	13	14	15
16	poned	ponga	17
conduce	conducid	18	19
20	21	empiece	22
23	haced	24	25
cierra	26	27	cierren
28	dad	29	30

Lección 12

10 Une las frases de la Lista A con las de la Lista B para formar frases completas.

Lista A

1 Cuando tenga más dinero
2 Te recomiendo que pruebes
3 Espero que mis padres puedan
4 Ojalá nos toque
5 Te compraré un ordenador para que
6 Si vas al norte de España es mejor que
7 No te preocupes

Lista B

a vayas en verano.
b venir a verme pronto.
c el pescado frito.
d por tus hijos.
e compraré una casa.
f la lotería.
g puedas escribir tus novelas.

11 a Une las preguntas de la Lista A con las respuestas de la Lista B.

Lista A

1 ¿Para qué me enseñas el mapa?
2 ¿Para qué nos vamos tan pronto?
3 ¿Para qué me compras un estéreo nuevo?
4 ¿Para qué tengo que practicar con el coche?
5 ¿Para qué tengo que ir contigo?
6 ¿Para qué pones cortinas nuevas en el dormitorio?
7 ¿Para qué tengo que poner el despertador?
8 ¿Para qué tengo que hacer ejercicio?

Lista B

a Para llegar a tiempo.
b Para oír la música mejor.
c Para estar sano.
d Para levantarte temprano.
e Para conducir mejor.
f Para ver a los abuelos.
g Para saber como llegar.
h Para dormir mejor.

b Escribe las respuestas de otra forma usando el subjuntivo.

a Para que (nosotros – llegar) a tiempo.
....
b Para que (tú – oír) la música mejor.
....
c Para que (tú – estar) sano.
....
d Para que (tú – levantarse) temprano.
....
e Para que (tú – conducir) mejor
....
f Para que (tú – ver) a los abuelos.
....
g Para que (tú – saber) como llegar.
....
h Para que (nosotros – dormir) mejor.
....

Lección 13

12 Termina las frases.

1 Me gustaría mucho ir al cine contigo, pero no tengo tiempo. Si (tener tiempo)
   Si tuviera tiempo iría.
2 Me gustaría mucho comprarme este coche. Si (tener dinero)
....
3 Me encantaría acompañarte al baile, pero no puedo. Si (poder)
....
4 Me gustaría quedarme en casa hoy, pero tengo que trabajar. Si no (tener que)
....
5 Me interesaría mucho ver la obra, pero no me apetece salir esta noche. Si (apetecerme)
....
6 Debo irme a la clase, pero no quiero. Si (querer)
....
7 Me gustaría tomar una cerveza, pero no puedo beber alcohol. Si (poder)
....

8 Me encantaría llevarme este reloj, pero no es el mío. Si (ser)

....

9 Necesito hablar con Juan, pero no está en casa. Si (estar)

....

13 Lee la carta al alcalde e indica Verdadero (V) o Falso (F) para las frases siguientes. Corrige las frases falsas.

Muy señor mío,

Quisiera expresarle mi deseo de que ponga en la ciudad más zonas peatonales, sobre todo en el centro. Es cierto que muchos de los conductores de coches se quejarían si tomara esta decisión, pero estoy seguro de que si ponen más zonas peatonales, la calidad de vida mejoraría mucho para la mayoría de los ciudadanos. Hace poco leí en un periódico local un artículo que decía que, si se hace este tipo de aumento de zonas peatonales en el centro, habría que crear muchos aparcamientos y vías de acceso. Pues, estoy de acuerdo. Deberíamos usar otros medios de transporte para llegar al centro, principalmente el autobús. Ya tenemos un servicio bueno de autobús en nuestra ciudad, pero habría que mejorarlo aún más para manejar el aumento de pasajeros. Desafortunadamente en las calles con tráfico funciona la ley del más fuerte y muchos de los conductores no tienen cuidado con los pobres peatones que quieren cruzar las calles estrechas para hacer las compras. Es cierto que muchos peatones cruzan por todas partes sin mirar, pero el riesgo de un accidente de tráfico desaparecería si se prohibiera la circulación de coches por estas zonas.

Es necesario que más gente comprenda las ventajas de tal sistema para evitar el peligro y además reducir la contaminación. ¡Que buena falta nos hace!

Además nuestra ciudad es ideal para implantar este sistema, ya que es pequeña y las distancias no son largas. Un centro sin tráfico sería ideal para la ciudad.

¡Ayúdenos, señor alcalde!

---

1 En la ciudad hay zonas peatonales. ....
2 Muchos conductores no quieren zonas peatonales. ....
3 Hay suficientes aparcamientos en la ciudad. ....
4 El servicio de autobús ya tiene un nivel adecuado. ....
5 Los peatones están en peligro cuando cruzan la calle. ....
6 Los peatones siempre tienen cuidado cuando cruzan las calles. ....
7 Hay más ventajas que desventajas con el sistema propuesto. ....
8 Hay mucha contaminación de coches en el centro. ....
9 Es una ciudad muy grande. ....

Test

Completa el test. Tiene 100 puntos. Al final repasa lo que no sabes.

Lección 8

1 Elige una palabra del cuadro para cada definición.

un paraguas   guantes   un autobús   una guitarra

1 un vehículo que lleva pasajeros por la calle
....

2 unas cosas que se llevan en la mano cuando hace frío ....

3 una cosa que se abre y que nos protege de la lluvia ....

4 un instrumento que tiene cuerdas y que se toca con la mano ....

(4 puntos)

2 Completa las frases con **el que**, **la que**, **los que** o **las que**.

1 Este bolso es .... compré en México.

2 Las casas son .... construyeron hace diez años.

3 Estos zapatos son .... me regaló mi novio.

4 La carta es .... escribí la semana pasada.

(4 puntos)

3 Escribe en la forma correcta el demostrativo que aparece entre paréntesis.

1 Me gusta mucho (aquel) .... casa.

2 No quiero (este) .... jersey; prefiero (ese) ....

3 (Este) .... pendientes son más bonitos que (aquel) ....

4 No compres (ese) .... manzanas; compra (este) ....

(4 puntos)

4 Tienes un problema con cada una de estas cosas. Une los objetos con los problemas.

1 El jersey   **a** no funciona.
2 La radio   **b** tiene un agujero.
3 El vaso   **c** está fría.
4 El libro   **d** se ha roto.
5 La sopa   **e** tiene páginas en blanco.

(5 puntos)

5 Completa las frases siguientes con el pronombre adecuado.

1 Se ha roto mi reloj. ¿Usted puede arreglar...... ?

2 Falta la sopa. ¿Puede traer...... ?

3 La mesa está sucia. ¿Puede limpiar...... ?

4 No tenemos tenedores. ¿Puede traer...... ?

5 Estas copas son muy bonitas. ¿Quieres comprar...... ?

(5 puntos)

Lección 9

6 ¿Pretérito indefinido o pretérito imperfecto? Escribe cada verbo en la forma correcta.

1 El otro día (yo – pasear)
.... por la calle y de repente un hombre (robar)
.... mi bolso.

2 (Yo – salir) .... a las nueve. (Hacer) .... una noche muy buena.

3 Mi madre (hablar) .... por teléfono cuando (empezar) .... el incendio.

4 El señor (sufrir) .... un ataque mientras (conducir)
.... por la ciudad.

(4 puntos)

7 ¿Qué estabas haciendo cuando empezó la tormenta? Escribe frases utilizando la forma **estar** + el verbo en gerundio (-**ando** o -**iendo**).

1 (Yo) lavar / la ropa

....

2 Mi padre / ver / la televisión

....

3 Mis hijos / dormir

....

4 (Nosotros) / comprar / comida en el supermercado

....

(4 puntos)

8 Completa las frases con la preposición correcta.

1 Son las nueve .... la noche.
2 Trabaja mucho .... la noche
3 El restaurante está .... el banco y el supermercado.
4 Le gusta tener conversaciones .... la política de la región.
5 Te he esperado .... las siete .... las ocho.
6 Cuando falló la electricidad, estuvimos .... luz durante toda la noche.

(6 puntos)

9 Elige **por** o **para**.

1 No tengo ropa .... salir.
2 Estoy muy enfadado .... el mal servicio en este restaurante.
3 ¿Vamos .... la autopista o la carretera?
4 Me gusta pasear .... el centro de la ciudad los sábados.
5 He comprado este collar .... mi madre.
6 Prefiero esta silla .... estar más cómodo.

(3 puntos)

Lección 10

10 Termina las frases con la forma correcta del pluscuamperfecto.

1 Fui a casa de Juan pero Juan (salir) ....
2 Pedí un helado pero los helados (terminarse) ....
3 Busqué mi bolso pero mi bolso (desaparecer) ....
4 Quería preguntaros algo pero os (ir) ....
5 Invité a mis amigos a ver una película pero ellos ya la (ver) ....

(5 puntos)

11 Completa estas frases con **ya** o **aún**.

1 .... no había empezado cuando llegué.
2 Llamé a su casa pero .... se había marchado.
3 Me di cuenta de que .... no me había llamado.
4 Quería comprar el apartamento pero .... lo habían vendido.

(2 puntos)

12 Adivina las palabras y únelas con sus definiciones.

1 TROALEC
2 STROPATANIOG
3 SAMNOLUCIT
4 DREPENSOTARA

a Esta persona aparece en una película, una obra de teatro o una novela.
b Esta persona escribe en un periódico para ganarse la vida.
c Esta persona aparece en un programa de televisión.
d Esta persona lee libros, revistas y periódicos.

(4 puntos)

Lección 11

13 Completa las frases con la forma imperativa (informal) del verbo.

1 (Hacer) .... los deberes ahora.
2 Si vas al supermercado (comprar) .... vino.
3 (Salir) .... del baño; quiero entrar.
4 (Decir) .... la verdad.
5 ¡(Correr) .... ! Vas a llegar tarde.

(5 puntos)

14 Sustituye las palabras subrayadas por pronombres.

1 Regala la bufanda a tu padre.
....
2 Ponte la chaqueta para salir esta noche.
....
3 Cuenta la historia a mí.
....
4 Manda los libros a tus padres.
....
5 Mira a las chicas.
....

(5 puntos)

15 Escribe estos verbos imperativos en la forma plural.

1 Llámame mañana.
....
2 Díselo.
....
3 Dáselo.
....
4 ¡Ten cuidado!
....
5 Ven conmigo esta tarde.
....
6 ¡Sal de allí!
....

(3 puntos)

16 Escribe estas frases en versión formal.

1 Pasa por aquí, por favor.
....
2 Perdona la molestia.
....
3 Abre la puerta.
....
4 Hazlo ahora.
....

(4 puntos)

17 Escribe estas frases en negativo.

1 ¡Corre!
....
2 ¡Para!
....
3 Empiece.
....
4 Hagan ruido.
....
5 Come la carne.
....

(5 puntos)

Lección 12

18 Completa las frases usando la forma adecuada del verbo.

1 Es mejor que nosotros (tomar) .... el tren de las ocho.
2 Te aconsejo que (leer) .... las instrucciones antes.
3 Te sugiero que (ir) .... por el día y no por la noche.
4 Os recomiendo que (probar) .... la comida típica.
5 Es importante que nosotros (conducir) .... con mucho cuidado.

(5 puntos)

19 ¿Qué aconsejas?

1 Me duele la garganta. (médico)

....

2 Tengo un examen importante la semana que viene. (estudiar)

....

3 Como demasiado chocolate. (menos)

....

4 Mi coche está estropeado. (mecánico)

....

5 Me duelen las muelas. (dentista)

....

(5 puntos)

20 ¿Qué dicen estas personas?

1 El médico al paciente: Quiero que (tú – tomar) estas pastillas.

....

2 El profesor a un alumno perezoso: Quiero que (tú – estudiar) más.

....

3 El jefe a un empleado que trabaja poco: Quiero que (usted – trabajar) más.

....

4 El policía que arresta a un sospechoso: Quiero que (usted – acompañarme) a la comisaría.

....

5 El entrenador de un equipo de fútbol: Quiero que no (vosotros – hacer) tantos errores.

....

(5 puntos)

21 Contesta estas preguntas, usando el subjuntivo.

1 ¿Cuándo vas a comprar un coche nuevo? –Cuando (tener) .... más dinero.

2 ¿Cuándo vas a dar el libro a tu amigo? –Cuando le (ver) ....

3 ¿Cuándo te vas a poner el vestido nuevo? –Cuando (salir) .... esta noche.

4 ¿Cuándo vais a ver a vuestros padres? –Cuando nos (visitar) .... la semana próxima.

5 ¿Cuándo vais de vacaciones? –Cuando (terminar) .... el proyecto.

(5 puntos)

Lección 13

22 Escribe estos verbos en el subjuntivo imperfecto.

1 Si (yo – ser) .... rico viviría mejor.

2 Si (yo – tener) .... tiempo haría muchas cosas.

3 Si (él – poder) .... te ayudaría.

4 Si (ellos – estar) .... aquí podríamos empezar.

(4 puntos)

23 Escribe las preguntas usando la forma **tú** y contéstalas.

1 ¿Qué (comprar) .... si (ganar) .... mucho dinero?

2 ¿Dónde (vivir) .... si (poder) .... vivir en cualquier sitio?

3 ¿Qué (hacer) .... durante un año si (tener) .... el tiempo y el dinero?

4 ¿Con quién (cenar) .... si (poder) .... elegir?

(4 puntos)

Total: .... / 100 puntos

Key to exercises

Lección 1

Sección A *Actividades*

1 tú

1 ¿Cuándo es tu cumpleaños?
2 ¿De dónde eres?
3 ¿Vives en un piso?
4 ¿Está en el centro (de la ciudad)?
5 ¿Estás casada?
6 ¿Cuántos hijos tienes?
7 ¿Tienes hermanos (o hermanas)?
8 ¿Qué te gusta hacer en tu tiempo libre?
9 ¿A qué hora te levantas?/¿A qué hora te despiertas?
10 ¿Cómo es tu casa?
11 ¿Trabajas todo el día/por la mañana y por la tarde?
12 ¿Cuidas a tus hijos (por las tardes)?

usted

1 ¿Cuándo es su cumpleaños?
2 ¿De dónde es (usted)?
3 ¿Vive en un piso?
4 ¿Está en el centro (de la ciudad)?
5 ¿Está casada?
6 ¿Cuántos hijos tiene?
7 ¿Tiene hermanos (o hermanas)?
8 ¿Qué le gusta hacer en su tiempo libre?
9 ¿A qué hora se levanta?/¿A qué hora se despierta?
10 ¿Cómo es su casa?
11 ¿Trabaja todo el día/por la mañana y por la tarde?
12 ¿Cuida a sus hijos (por las tardes)?

2 Se llama Laura, es colombiana, es de Bogotá. Es soltera. Tiene dos hermanas. Vive en un piso grande que tiene cinco dormitorios y está en el centro de la ciudad. Vive con su familia. Es estudiante en la universidad, estudia Economía. También estudia idiomas: inglés y portugués. Trabaja por las tardes en una oficina. En su tiempo libre va al cine, ve la televisión, escucha música y va de compras.

3 Me llamo ...., soy .... de .... Soy soltero/a, casado/a, separado/a, divorciado/a, viudo/a. Tengo ..../No tengo hermanos/as, hijos/as. Vivo solo/a, con mis padres/madre/padre/familia/hijo(s), hija(s), sobrinos, tíos (etc.). Vivo en un piso pequeño/casa grande, que tiene .... dormitorios, cocina, cuarto de baño, salón, comedor, balcón, terraza, jardín (etc.). Soy estudiante, profesor, médico, (etc.). Trabajo en .... Estudio .... en......... En mi tiempo libre voy al cine, veo la televisión, escucho música, voy de compras, hago deporte, (etc.).

Sección A *Gramática*

1
1	vamos	11	cocina
2	ver	12	comer
3	comemos	13	ayudamos
4	viven	14	limpiar
5	está	15	fregamos
6	tiene	16	dormimos
7	hace	17	nadamos
8	comemos	18	jugamos
9	hay	19	pasamos
10	planta		

2 1 presento; Encantada; gusto
2 éste; ésta; Hola; gusto; tal

Secciónes B y C *Actividades*

1
2	b el esquí	6	a el hockey sobre hielo
3	c el rugby	7	f el ciclismo
4	e el fútbol	8	d el waterpolo
5	h el patinaje	9	g el baloncesto

3 2 A María le encanta/le gusta mucho el esquí, pero a su padre no le gusta.

3 A Manuel y Javier no les gusta el rugby, pero a sus hermanos les encanta/les gusta mucho.

4 A mi hermana no le gusta nada el fútbol, pero a mi madre le gusta.

5 A Alicia le gusta mucho/le encanta el patinaje, pero a su marido no le gusta nada.

6 A Alfonso y Ester les gusta el hockey sobre hielo, pero a sus padres no les gusta.

7 A Clara le encanta/le gusta mucho el ciclismo, pero a su hijo no le gusta.

8 A Gustavo no le gusta nada el waterpolo, pero a sus padres les encanta/les gusta mucho.

9 A mi padre le gusta el baloncesto, pero a mi tío no le gusta.

3 1 Hola, ¿qué tal? ¿Sabes que Pepe y Luisa fueron de vacaciones a Mallorca? Les gustó mucho la playa. Nadaron mucho y Luisa tomó el sol. Pepe no tomó el sol porque no le gusta. Estuvieron en un hotel muy bueno. La comida les encantó/les encanta, sobre todo el pescado.

2 Luisa fue sola a la capital de la isla, Palma de Mallorca, a ver la catedral y otros monumentos. A ella le encantan, pero a Pepe no le gustan nada los monumentos así que se quedó en el hotel.

3 Luisa fue en un barco de excursión. A Pepe no le agrada viajar en barco porque se marea, así que se quedó en la piscina del hotel. A los dos les encantó la piscina del hotel y les

encantaron las copas del bar de la piscina. Por las noches fueron a muchas fiestas en la discoteca del hotel. Les gustan/Les gustaron mucho las fiestas.

Secciones B y C *Gramática*

1 2 d **3** c **4** b **5** e **6** g **7** i **8** a **9** h

2 1 Os **2** nos **3** mí **4** le **5** mí **6** me **7** le **8** les **9** les

Secciones D y E *Actividades*

1 simpatía, leal, sinceridad, decidido, divertido, bello, trabajador, generosidad, comprensión, alegre, romántico

2 antipatía, traidor, mentira, tímido, aburrido, feo, perezoso, egoísmo, intolerancia, triste, frío

I	Y	J	L	S	Q	E	W	C	Z	P	B
N	A	N	T	I	P	A	T	I	A	E	V
T	F	F	R	I	O	N	E	E	L	R	G
O	J	K	A	T	J	Q	G	D	E	E	T
L	P	L	I	E	A	R	P	M	Z	Z	A
E	I	M	D	P	S	I	I	E	O	O	P
R	F	E	O	T	X	P	K	S	M	S	M
A	B	U	R	R	I	D	O	M	T	O	N
N	O	D	L	H	D	M	L	O	I	E	S
C	Y	C	Q	G	A	O	I	D	R	R	Z
I	G	E	W	D	P	D	S	D	A	G	F
A	Q	W	S	F	Y	C	X	G	O	H	V

Secciones D y E *Gramática*

1 Las palabras en cursiva deberán ser tus respuestas.

	Cualidad: nombre	Cualidad: adjetivo	Defecto: nombre	Defecto: adjetivo
1	*la lealtad*	leal	*la traición*	traidor
2	la sinceridad	*sincero*	la mentira	*mentiroso*
3	*la decisión*	decidido	*la timidez*	tímido
4	*la diversión*	divertido	*el aburrimiento*	aburrido
5	*la belleza*	bello	*la fealdad*	feo
6	*el trabajo*	trabajador	*la pereza*	perezoso
7	la generosidad	*generoso*	el egoísmo	*egoísta*
8	la comprensión	*comprensivo*	la intolerancia	*intolerante*
9	*la alegría*	alegre	*la tristeza*	triste
10	*el romanticismo*	romántico	*la frialdad*	frío

2
1 María es leal pero Juana es traidora.
2 María es sincera pero Juana es mentirosa.
3 María es decidida pero Juana es tímida.
4 María es divertida pero Juana es aburrida.
5 María es bella pero Juana es fea.
6 María es trabajadora pero Juana es perezosa.

7 María es generosa pero Juana es egoísta.
8 María es comprensiva pero Juana es intolerante.
9 María es alegre pero Juana es triste.
10 María es romántica pero Juana es fría.

Lección 2

Sección A *Actividades*

1 *Sugerencias*
  a 1, 5, 9, 11, 13, 15, 20, 22, 23, 24, 27
  b 3, 4, 5, 7, 8, 12, 18, 19, 22, 25, 28, 29
  c 3, 6, 10, 12, 14, 18, 19, 23
  d 4, 7, 8, 12, 17, 19, 22, 23, 28
  e 1, 2, 3, 4, 7, 11, 13, 17, 19, 22, 23, 25, 26, 28, 29
  f 5, 8, 11, 14, 17, 21, 24, 28

2
1 Albañil: c, e, i, o
2 Editor: d, f, k, n
3 Jardinero: b, g, j, m
4 Profesor de autoescuela: a, h, l, p

Sección A *Gramática*

1 o → a: atrevida, analítica, creativa, cuidadosa, decidida, discreta, enérgica, exacta, extravertida, imaginativa, lógica, metódica, ordenada, persuasiva, práctica, segura, sensata

no cambian: adaptable, ágil, emocional, exigente, firme, independiente, paciente, tenaz, valiente

+ a: comunicadora, motivadora, negociadora

2
1 arreglamos	5 vigiló; puso
2 corté; teñí	6 tuvieron; repartieron
3 hizo	7 enseñó
4 atendieron	8 aprobó; dirigió

Sección B *Actividades*

1
1 Asumir	12 desarrollo
2 actuación	13 formación
3 gestión	14 retribución
4 facilitar	15 vehículo
5 asesoramiento	16 mano
6 requiere	17 adjunto
7 Telecomunicaciones	18 correo
8 valorará	19 recoger
9 similar	20 Enviar
10 Comunicación	21 dirección
11 incorporación	

2
1 Marta Jimeno Pérez
2 26
3 Turismo, Máster en Relaciones Públicas el año pasado, tres cursillos de perfeccionamiento, cinco conferencias sobre turismo
4 inglés – perfecto; francés – intermedio
5 recepcionista en un hotel en Inglaterra (seis meses); empleada de agencia de viajes, atendiendo a los clientes; gerente de agencia de viajes
6 muy trabajadora y abierta
7 Me gusta mucho la lectura y el cine y me encanta viajar.

Sección B *Gramática*

1
2 empezó: Empecé a estudiar en la universidad en junio del 2000.
3 estudió: Estudié Economía.
4 aprendió: Aprendí a hablar francés en la universidad de Toulouse.
5 Tuvo: No, no tuve ningún puesto de responsabilidad en mi trabajo anterior.
6 hizo: Hice mis estudios secundarios en Madrid.
7 se enteró: Me enteré de la existencia de este puesto en el periódico.

2
2 empezaste	5 Tuviste
3 estudiaste	6 hiciste
4 aprendiste	7 te enteraste

Sección C *Actividades*

1 Luis estaba solo y aburrido en casa, era Domingo y no sabía qué hacer. Recordó que era el cumpleaños de Lolita y **la** llamó por teléfono. **La** invitó al cine. **Le** dijo: 'Te espero en el bar Pepe.' Luis fue al bar, pero antes, como era el cumpleaños de Lolita, fue a comprar**le** un regalo. **Le** compró un libro y **lo** guardó en la bolsa. Luis fue al bar y **la** esperó más de dos horas. Luis tomó varias copas que **le** hicieron daño. Como Lolita no venía, Luis salió del bar, **la** buscó, miró por todas partes pero no **la** vio. Al cabo de media hora Lolita llegó. Luis tenía el libro sobre la mesa, pero no **se lo** dio. **Le** había escrito una carta. **Se la** dio. Salió sin saludar**la** y fue al cine solo.

2 Muy señor mío:
Le escribo para pedir**le** el puesto de trabajo que ofrece en su anuncio. **Lo** vi en el periódico del lunes. ¿Puede enviar**me** la información necesaria? Enviaré mi currículum por correo, (**se**) **lo** enviaré a su secretaria y, si no **le** importa, **la** llamaré para preguntar**le** más detalles sobre el puesto.
Le saludo atentamente

3 a Les escribo para pedirles …
¿Pueden enviarme …
si no les importa la llamaré para preguntarle….
Les saludo atentamente

b igual que a un señor (2)

Sección C *Gramática*

1
2 Sí, lo/le vi.	7 Sí, le pagué el vestido.
3 Sí, lo compré.	
4 Sí, los encontré.	8 Sí, le dieron el empleo.
5 Sí, la devolví.	
6 Sí, la vi.	9 Sí, los/les llamé.

2
2 Sí, se lo daremos.	5 Sí, se lo entregué.
3 Sí, se lo escribí.	6 Sí, se las conseguí.
4 Sí, se los compré.	7 Sí, se la envié.

Secciones D y E *Actividades*

1 1 Hace dos años que trabajo en la misma empresa.
2 Vivo aquí desde hace tres años.
3 Está casada desde hace dos meses.
4 Hace diez años que vivimos en esta casa.
5 Somos novios desde hace dos años.
6 Hace seis meses que conozco a mi vecino.

2 *Sugerencias*
1 Hace ocho años que Ana se hizo economista en la universidad/estudió economía en la universidad/se licenció en economía.
2 Hace siete años que Ana se sacó el carnet de conducir/aprendió a conducir.
3 Hace seis años que Ana empezó/aprendió a jugar al tenis.
4 Hace cinco años que Ana comenzó/empezó a trabajar como secretaria/en una oficina.
5 Hace cuatro años que Ana conoció a Pedro.
6 Hace dos años que Ana se casó con Pedro.
7 Hace siete meses que Ana tuvo un niño.

Secciones D y E *Gramática*

1 1 desde   3 desde
2 (desde) hace   4 desde

5 (desde) hace   8 desde
6 desde   9 (desde) hace
7 (desde) hace   10 desde

2 1 Ana se hizo economista en la universidad/estudió economía en la universidad/se licenció en economía hace ocho años.
2 Ana se sacó el carnet de conducir/aprendió a conducir hace siete años.
3 Ana empezó/aprendió a jugar al tenis hace seis años.
4 Ana comenzó/empezó a trabajar como secretaria/en una oficina hace cinco años.
5 Ana conoció a Pedro hace cuatro años.
6 Ana se casó con Pedro hace dos años.
7 Ana tuvo un niño hace siete meses.

3 1 Hace ocho años que Ana es economista.
2 Hace siete años que Ana conduce/sabe conducir.
3 Hace seis años que Ana juega al tenis.
4 Hace cinco años que Ana trabaja como secretaria.
5 Hace cuatro años que Ana conoce a Pedro.
6 Hace dos años que Ana está casada con Pedro.
7 Hace siete meses que Ana tiene (es madre de) un niño.

Lección 3

Secciones A y B *Actividades*

1 1 e   2 h   3 b   4 d   5 c   6 g   7 a   8 f

2 2 Puerto Vallarta, Isla Mujeres
3 Puerto Vallarta, Isla Mujeres
4 Taxco
5 el pico de Orizaba
6 Taxco, Durango
7 Yum Balam
8 Isla Mujeres
9 Puerto Vallarta, Isla Mujeres, (Veracruz)
10 Oaxaca
11 Acapulco, (Puerto Vallarta)
12 Oaxaca
13 Malinalco
14 Veracruz
15 Taxco
16 Taxco
17 Oaxaca
18 Cuernavaca, Durango, Veracruz
19 Malinalco, Cuernavaca, Tulum
20 Acapulco, Puerto Vallarta, Isla Mujeres
21 Cuernavaca

3 1 caja fuerte   6 farmacia
2 fregadero   7 peluquería
3 piscina   8 caravanas
4 gasolinera   9 plancha
5 correos

```
T B T F Y N W M H X C E
L P L A N C H A V P C C
D A M R L M X L L E A A
Q P V M Y L T G K L R J
V T S A Z U E R G U A A
F C P C N B G R F Q V F
O R U I A D I J E U A U
R R I A J K E O K E N E
F R E G A D E R O R A R
N E N A H T D Q I I S T
S O Z P I S C I N A C E
E G A S O L I N E R A A
```

2
1 haré	2 voy	3 llamaré
4 dan	5 alojaré	6 estaré
7 llegaré	8 estoy	9 podremos
10 tengo	11 veremos	12 tengo
13 iré	14 hace	15 bañaré
16 quedaré	17 Querrás	18 puedes
19 vamos	20 cenaremos	21 está
22 compraré		

Secciones A y B *Gramática*

1
2 Si voy a Puerto Vallarta practicaré deportes.
3 Si voy a Isla Mujeres realizaré viajes de placer por el mar.
4 Si voy a Taxco compraré objetos para el hogar.
5 Si voy a Pico Orizaba subiré a una cima muy alta.
6 Si voy a Durango trabajaré para la industria del metal.
7 Si vamos a Yum Balam veremos animales y plantas de la selva
8 Si vamos a Isla Mujeres veremos las maravillas submarinas.
9 Si vamos a Puerto Vallarta viajaremos en barco.
10 Si vamos a Oaxaca visitaremos monumentos religiosos cristianos.
11 Si vamos a Acapulco iremos a unas playas internacionalmente conocidas.

Secciones C, D y E *Actividades*

1
1 el sofá	7 el escritorio
2 la estantería	8 la mesa
3 el armario	9 la silla
4 el sillón	10 la mesilla
5 la bandeja	11 el colgador
6 la lámpara	

2 1 c   2 f   3 d   4 e   5 a   6 b

Secciones C, D y E *Gramática*

1
2 Esta cartera es mía.
3 Este coche es vuestro.
4 Estas casas son tuyas.
5 Este bolígrafo es mío.
6 Estos discos son suyos.
7 Estas bolsas son nuestras.

2
2 Este cuadro es el nuestro.
3 Estas gafas son las suyas.
4 Este coche es el suyo.
5 Estos libros son los vuestros.
6 Esta blusa es la suya.
7 Estos billetes son los suyos.
8 Estos discos son los tuyos.

Lección 4

Secciones A y B *Actividades*

1
1 Se alquila; Se llega
2 Se vende; Se ha modernizado
3 Se prohíbe; Se pondrá; se pisa
4 se permite
5 se pide; se celebra
6 se perdió; Se recompensará
7 Se confeccionan; se arregla ropa
8 se debe; se come
9 se puede; se atasca

2 Horizontal:
1 intermitente	4 palanca	6 volante
7 freno	10 parabrisas	

Vertical:

2 maletero   **3** embrague   **5** motor

8 faro   **9** capo

Secciones A y B *Gramática*

1   **2** En este parque no se entra de noche.

    3 Aquí no se construye.

    4 En el bosque no se enciende fuego.

    5 Por la autopista no se va en bicicleta.

    6 Por la ciudad no se conduce a tanta velocidad.

    7 Aquí no se tira basura.

2   **1** B   **2** A   **3** C   **4** A   **5** C   **6** B   **7** C

    8 B   **9** A   **10** C   **11** B

Secciones C, D y E *Actividades*

1   7.00   ducharme

    7.15   ponerme el traje azul

    8.05   dar el desayuno a los niños

    8.45   comprar el periódico

    8.50   leer el periódico

    9.30   empezar a servir a los clientes

   10.55   descansar y café

   13.30   cerrar la tienda

   14.30   hablar de negocios

   16.00   volver a la tienda

   16.35   trabajar hasta las 7 sin descansar

   19.00   volver a casa

   20.05   acostar a los niños

   21.00   sentarme por fin

2   A las siete me he levantado y me he duchado. A las siete y cuarto me he vestido, me he puesto el traje azul. A las siete y media he desayunado bien. A las ocho menos cuarto he hecho el desayuno para los niños. A las ocho y cinco he dado el desayuno a los niños. A las nueve menos veinticinco he llevado a los niños al colegio y a las nueve menos cuarto he comprado el periódico. A las nueve menos diez he tomado el metro, me he sentado y he leído el periódico. A las nueve y veinte he llegado a la tienda y he preparado las cosas. A las nueve y veinticinco he abierto la tienda y a las nueve y media he empezado a servir a los clientes. A

las once menos cinco he descansado y he tomado un café. A las doce y diez he trabajado en la caja y a la una y media he cerrado la tienda. A las dos menos cuarto he comido en el restaurante de la esquina y a las dos y media he tomado café con Carlos y he/hemos hablado de negocios. A las tres y media he hecho unas compras y a las cuatro he vuelto a la tienda y lo he ordenado todo. A las cinco menos veinticinco he abierto la tienda y he trabajado hasta las siete sin descansar. A las cinco y diez he llamado a los niños. A las siete he cerrado la tienda y he vuelto a casa. A las ocho y cinco he acostado a los niños y les he leído un cuento. A las nueve me he sentado por fin y he visto la tele. A las diez y media he leído los e-mails y me he puesto a contestar los e-mails de los amigos.

Secciones C, D y E *Gramática*

1   **2** ¿Has hecho ya las camas?

    —No, aún/todavía no he hecho las camas.

    3 ¿Han planchado ya la ropa?

    —No, aún/todavía no han planchado la ropa.

    4 ¿Habéis hecho ya la compra?

    —Sí, ya hemos hecho la compra.

    5 ¿Ha limpiado ya el polvo?

    —No, aún/todavía no ha limpiado el polvo.

    6 ¿Han lavado ya el coche?

    —Sí, ya hemos lavado el coche.

    7 ¿Has puesto en orden ya tus papeles?

    —No, aún/todavía no he puesto en orden mis papeles.

    8 ¿Ha escrito ya la carta?

    —Sí, ya he escrito la carta.

2   **2** ¿Has hecho las camas ya?

    —No, no he hecho las camas aún.

    3 ¿Han planchado la ropa ya?

    —No, no han planchado la ropa aún.

    4 ¿Habéis hecho la compra ya?

    —Sí, hemos hecho la compra ya.

    5 ¿Ha limpiado el polvo ya?

    —No, no ha limpiado el polvo aún.

    6 ¿Han lavado el coche ya?

    —Sí, hemos lavado el coche ya.

    7 ¿Has puesto en orden tus papeles ya?

    —No, no he puesto en orden mis papeles aún.

8 ¿Ha escrito la carta ya?
 –Sí, he escrito la carta ya.

3 3 ¿Ha probado el jamón serrano alguna vez?
 –No, no ha probado el jamón serrano nunca.
 4 ¿Has tomado tequila alguna vez?
 –Sí, he tomado tequila algunas veces.
 5 ¿Habéis visitado el Museo del Prado alguna vez?
 –No, no hemos visitado el Museo del Prado nunca.
 6 ¿Ha actuado en televisión alguna vez?
 –Sí, he actuado en televisión algunas veces.
 7 ¿Han dicho mentiras alguna vez?
 –No, no han dicho mentiras nunca.
 8 ¿Ha escrito novelas de misterio alguna vez?
 –No, no ha escrito novelas de misterio nunca.

4 3 ¿Ha probado alguna vez el jamón serrano?
 –No, no ha probado nunca el jamón serrano.
 4 ¿Has tomado alguna vez tequila?

 –Sí, he tomado algunas veces tequila.
 5 ¿Habéis visitado alguna vez el Museo del Prado?
 –No, no hemos visitado nunca el Museo del Prado.
 6 ¿Ha actuado alguna vez en televisión?
 –Sí, he actuado algunas veces en televisión.
 7 ¿Han dicho alguna vez mentiras?
 –No, no han dicho nunca mentiras.
 8 ¿Ha escrito alguna vez novelas de misterio?
 –No, no ha escrito nunca novelas de misterio.

5 3 No, nunca ha probado el jamón serrano.
 4 Sí, algunas veces he tomado tequila.
 5 No, nunca hemos visitado el Museo del Prado.
 6 Sí, algunas veces he actuado en televisión.
 7 No, nunca han dicho mentiras.
 8 No, nunca ha escrito novelas de misterio.

Lección 5

Secciones A y B *Actividades*

1 María se levantaba a las siete y se duchaba. Desayunaba con los niños y llevaba a los niños al colegio. Hacía las compras en el mercado. A mediodía comía un bocadillo en casa. Después iba a la playa/nadaba en el mar. Volvía a casa y cenaba con la familia. Cuidaba a los niños por la noche.

2 1 **h** jugaban
 2 **e** estaban
 3 **m** salían
 4 **g** jugaban
 5 **l** tenían
 6 **f** iban
 7 **k** subían
 8 **d** iban; hacían
 9 **i** nadaban; buceaban
 10 **a** hacían
 11 **b** inventaban
 12 **c** tenían
 13 **j** se aburrían

Secciones A y B *Gramática*

1 2 Ahora mis hijas estudian en la universidad, pero antes estudiaban en el instituto.

 3 Ahora mi padre trabaja en Madrid, pero antes trabajaba en Bilbao.
 4 Ahora mis amigos juegan al fútbol los domingos, pero antes jugaban los sábados.
 5 Ahora (yo) estudio informática, pero antes estudiaba historia.
 6 Ahora mi hermano hace ejercicio, pero antes no hacía ejercicio.
 7 Ahora mi mujer y yo viajamos a muchos sitios, pero antes no viajábamos.
 8 Ahora nuestros hijos van a la costa los veranos, pero antes iban a las montañas.
 9 Ahora nosotros comemos en casa, pero antes comíamos en los restaurantes.

2 1 ¿Dónde vivías antes?
 2 ¿A qué jugabais de niños?
 3 ¿Qué hacíais / A dónde ibais en las vacaciones?
 4 ¿A qué colegio iba tu hijo antes?

5 ¿Ibas a trabajar en metro antes?

6 ¿Teníais vacaciones muy largas?

Secciones C, D y E *Actividades*

1 **1 f** fuimos; vimos
2 h viajaba; fue
3 a compraron; vivieron
4 b compraba; cerró
5 c íbamos; murió

6 g veíamos; vimos
7 d conocimos; conocíamos
8 i hacíamos; hicimos
9 e traía; trajo

2 Querida amiga:

En las vacaciones lo pasamos muy bien. Todos los días nos levantábamos tarde y desayunábamos en la terraza del apartamento. Después íbamos a la playa y tomábamos el sol. Tomábamos un aperitivo y después comíamos en/íbamos a comer a un restaurante. Por la tarde dormíamos la siesta y después nadábamos un rato en la piscina del apartamento. Jugábamos al tenis y después dábamos un paseo, íbamos de compras – comprábamos ropas y regalos – y bebíamos algo en un bar. Cenábamos rápidamente y nos arreglábamos e íbamos a la discoteca. Bailábamos casi toda la noche y nos acostábamos a las cinco de la mañana.

Un día nos levantamos a las seis y media de la mañana y fuimos de excursión a la montaña. Hicimos veinte kilómetros a pie y vimos lagos y caballos salvajes. Visitamos un pueblo antiguo y vimos una iglesia del siglo XII. Nos bañamos en el río y comimos en el campo. Volvimos muy cansados y nos acostamos a las diez de la noche.

3 *Sugerencias*

2 Lleva bronceador para no quemarse con el sol/para protegerse del sol.

3 Lleva un traje de baño para nadar/para bañarse.

4 Lleva un paraguas para no mojarse (con la lluvia)/para protegerse de la lluvia.

5 Lleva un vestido de noche para salir por la noche.

6 Lleva gafas de sol para proteger los ojos del sol.

7 Lleva un sombrero para proteger la cabeza del sol.

8 Lleva una novela para leer en la playa.

9 Lleva una toalla para secarse después de nadar.

Secciones C, D y E *Gramática*

1
1 comía
4 estuviste
7 ganaron
10 compraste

2 fuimos
5 tuvieron
8 tenía

3 salía
6 discutían
9 hizo

2 **2** Sí, nadaban siempre en la piscina, pero dos días nadaron en el lago.

3 Sí, jugábamos a menudo al baloncesto, pero algunos días jugamos al fútbol.

4 Sí, me levantaba generalmente muy tarde, pero todo el mes pasado me levanté muy temprano.

5 Sí, normalmente iba al trabajo en bicicleta, pero la semana pasada fui en coche.

6 Sí, mis hermanos tenían mucho trabajo, pero el año pasado no tuvieron casi nada de trabajo.

7 Sí, antes hacía mucho calor en agosto, pero en el pasado mes de agosto hizo bastante fresco.

8 Sí, mis padres estaban en el pueblo todos los fines de semana, pero el mes pasado se quedaron/estuvieron en casa todos los fines de semana.

Lección 6

Sección A *Actividades*

1 **2** ¿Dónde te alojaste?/¿Dónde estuviste? (también posible: ¿Dónde te alojabas/estabas?)

3 ¿Dónde estaba el hotel?
4 ¿Qué tiempo hacía/ hizo?
5 ¿Cómo era el hotel?
6 ¿Era (muy) grande el hotel?
7 ¿Cuántas habitaciones tenía/había?
8 ¿Cómo eran las habitaciones?
9 ¿Qué (facilidades) tenía el hotel?/¿Qué había en el hotel?
10 ¿Cuántos restaurantes había?
11 ¿Cómo era la comida?
12 ¿Qué tipo de comida había?
13 ¿Era interesante el curso?
14 ¿Cuántas horas de clase tenías cada día?
15 ¿Y qué hacías en tu tiempo libre?

2 **3** ¿El hotel? Estaba en el norte de España, en los Pirineos.
4 Hacía/Hizo muy buen tiempo todos los días.
5 ¿El hotel? ¡Era muy bonito y muy antiguo!
6 Sí, era muy grande.
7 Tenía/Había doscientas habitaciones por lo menos.
8 La mayoría de las habitaciones eran dobles, con todo tipo de comodidades.
9 Pues . . . tenía/había piscina, jardín, bar, restaurantes . . .
10 Había tres restaurantes, uno local y dos internacionales.
11 ¿La comida? Era excelente.
12 Había comida internacional, pastas, arroces . . .
13 Sí, el curso era muy interesante.
14 Tenía seis horas de clase cada día.
15 ¿En mi tiempo libre? Pues, daba paseos, hacía excursiones.

Sección A *Gramática*

1 **1** está **2** está **3** es **4** es
5 está **6** hay **7** tiene / hay **8** son
9 hay **10** tiene **11** es **12** Hay
13 tienen **14** es **15** son **16** hace

2 Antes mi ciudad era muy bonita, era una ciudad pequeña y estaba al lado del mar. En verano había muchos turistas porque tenía unas playas preciosas. La mayoría de los edificios eran antiguos y había muchas tiendas con objetos de regalo, ropa y antigüedades. Laredo tenía restaurantes estupendos y la comida era excelente. Había mucho pescado y marisco. Los alrededores tenían paisajes maravillosos y el clima era muy bueno, los veranos eran frescos y en invierno no hacía mucho frío.

3 **1** había **2** estaba **3** era **4** estaba
5 tenían **6** había **7** tenía **8** había
9 era

Secciones B y C *Actividades*

1 *Tus respuestas serán como éstas:*
1 Había tres ladrones, dos hombres y una mujer.
2 Un ladrón era alto, gordo, con pelo moreno, liso y largo, llevaba barba y bigote. Llevaba una camiseta vieja y sucia, pantalones vaqueros y sandalias. El otro ladrón era pequeño y delgado, no tenía pelo (era calvo) y llevaba una gorra. Llevaba un traje viejo negro con corbata y llevaba botas. La mujer tenía el pelo rubio, corto y rizado. Llevaba una falda larga y negra y una blusa blanca. Llevaba zapatos y tenía/llevaba gafas de sol.
3 Una mochila con muchas cosas.
4 La mochila era grande y negra/de color negro.
5 Había un pañuelo que era de seda azul, una cartera de piel negra, unos guantes que eran negros, de piel/de piel negra, una calculadora, unas gafas (de sol) blancas/de color blanco, un libro, un cuaderno, una agenda, una gorra y un jersey de lana gris.

2 María Martínez **era** actriz. **Era** muy abierta y simpática, pero antes de actuar siempre **estaba**

seria y pensativa. No hablaba con nadie y **estaba** concentrada en su papel. Su voz **era** un poco ronca, pero también **era** muy cálida. Su padre **era** también actor y por eso tuvo mucha influencia en su personalidad de actriz. Su familia **era** muy importante para ella. **Estaba** casada con un actor y sus hijos siempre **estaban** con ella cuando **eran** pequeños. De físico no **era** muy atractiva, pero su cara **era** muy especial, de mirada penetrante. **Era** bastante alta y aunque cuando **era** niña **estaba** un poco gordita, de mayor **estaba** bastante delgada para su altura. **Era** muy elegante, su ropa **era** siempre muy especial. El carácter de María **era** fuerte, pero nunca **estaba** enfadada. Sus papeles siempre **eran** de mujer fuerte y fría, pero su personalidad **era** cálida y amable. Normalmente **era** bastante activa e inquieta, incluso **era** bastante nerviosa, pero, eso sí, cuando actuaba nunca **estaba** nerviosa. **Era** una actriz fantástica que **estaba** enamorada de su público. Y el público **estaba** loco por ella.

3 2 ¿Cómo estaba antes de actuar?
3 ¿Cómo era su voz?
4 ¿Qué profesión tenía su padre?/¿Qué era su padre?/¿Cuál era la profesión de su padre?
5 ¿Estaba soltera o casada?
6 ¿Con quién estaba casada?
7 ¿Tenía hijos?
8 ¿Cómo era (de físico)?
9 ¿Cómo eran sus papeles?
10 ¿Estaba nerviosa cuando actuaba?
11 ¿Cómo estaba el público por ella?/¿Qué pensaba el público de ella?/¿Cuál era la opinión del público sobre ella?

Secciones B y C *Gramática*

1 2 Joaquín y Marta son españoles.
3 Vosotros sois muy inteligentes.
4 El jardín está muy bien arreglado.
5 Yo estoy soltero, pero mi hermana está viuda.
6 Sus nietos son encantadores.
7 Tu hijo es muy educado.
8 La habitación es muy grande, pero está muy desordenada.

9 La sala es muy acogedora.
10 Sus tíos son irlandeses.
11 Tus hijos son muy egoístas.
12 Los cuadros de esta pintora son excelentes, pero son muy caros.

2 1 estaba
2 era; era
3 estaba
4 estaba; estaba
5 era; era
6 estaba
7 estabais
8 eras; eras; eras
9 estábamos
10 era; está

Secciones D y E *Actividades*

1 1 F El piso de Luisa estaba en el centro.
2 V Tiene un jardín muy grande.
3 F Luisa puede usar la piscina casi todo el año porque en su ciudad hace buen tiempo casi siempre.
4 F Cuando vivía en el piso iba andando y por la noche siempre encontraba taxis.
5 F Va en autobús durante el día, porque es difícil aparcar. Va en coche por la noche.
6 V Hay problemas de día, pero no de noche.
7 F Sale cada media hora y a veces hay que esperar media hora.
8 V Ya tiene el carnet de conducir.
9 F El piso tenía dos dormitorios menos que la casa (el piso tenía cuatro dormitorios y la casa tiene seis).
10 F Tienen cinco hijos: cuatro hijos (chicos) y una hija.
11 V Por ser la única chica.
12 F Dos compartían una habitación y los otros dos otra.
13 V Le subieron el sueldo.
14 F La casa es antigua pero está como nueva y no hay que hacer reparaciones porque los dueños anteriores la arreglaron.

2 A principios del siglo XX no había teléfono móvil / ordenadores / calculadoras / (máquinas de) fax / vídeo / televisión / relojes digitales.

Secciones D y E *Gramática*

❶ 1 tenía
2 tuvo
3 era
4 salió/fue
5 tenía; era
6 fueron; vieron
7 vivía; era; estaba; funcionaban
8 chocó; pasó
9 estaba; había
10 había; hacía
11 tuvimos; llegamos

❷ 1 Antes el cine estaba enfrente de la cafetería pero hace dos años lo pusieron en otra calle.
2 Antes nosotros trabajábamos poco, hasta que vino un/el nuevo jefe.
3 Desde mi terraza antes se veía un paisaje precioso, pero el año pasado construyeron (unos) pisos enfrente.
4 Antes no había tantas fábricas en la ciudad, pero instalaron muchas hace dos años.
5 Hasta que abrieron las fábricas la vida era tranquila en el pueblo.
6 En aquella época yo no trabajaba y me dedicaba / dediqué a cuidar a mis hijos.
7 Mi jardín estaba lleno de flores, pero / hacía hizo mucho calor y se secaron.

Lección 7

Actividades y gramática

❶ *Sugerencia*
¿Cómo se llama?
–Me llamo Marta Rodríguez.
¿Dónde nació?/¿Dé dónde es usted?
–Nací en Sevilla./Soy de Sevilla.
¿Cuándo nació?
–Nací en 1938.
¿Qué estudió?/¿Qué estudios hizo/realizó?
–En 1956 fui a la universidad de Sevilla e hice la Licenciatura en Economía/me licencié en Economía/estudié la carrera de Economía. En 1962 fui a la universidad Madrid e hice un Doctorado en Ciencias políticas.
¿Qué trabajos hizo/realizó?
–Desde 1966 trabajé como/fui empleada en varias embajadas. Desde 1969 hasta 1976 fui embajadora en varios países. En 1977 fui/me nombraron/me eligieron Ministra de Cultura. Desde 1985 trabajé como ejecutiva de una empresa.
¿Está casada?/¿Puede hablarnos de su familia?
–En 1969 me casé por primera vez con Ramón García. En 1973 tuve a mi primer hijo, Luis. En 1975 tuve a mi segundo hijo, Juan. En 1983 me quedé viuda ya que mi marido murió en un accidente. En 1988 volví a casarme con un empresario, pero en 1990 me divorcié.
¿Qué le gusta hacer en su tiempo libre?
–Me gusta la política, practicar deporte, me encanta el tenis, me gusta la lectura, sobre todo me encantan/me gustan mucho las biografías de políticos, y me gusta mucho la música clásica.
¿Cómo es usted?/¿Cómo es su personalidad/carácter?
–Soy/Mi personalidad es simpática y abierta, soy inteligente y prudente.

❷ *Sugerencia*
Se llama Marta Rodríguez. Nació en Sevilla./Es de Sevilla. Nació en 1938. En 1956 fue a la universidad de Sevilla e hizo la Licenciatura en Economía/se licenció en Economía. En 1962 fue a la universidad de Madrid e hizo un Doctorado en Ciencias políticas. Desde 1966 trabajó como/fue empleada en varias embajadas. Desde 1969 hasta 1976 fue embajadora en varios países. En 1977 fue/la nombraron/la eligieron Ministra de Cultura. Desde 1985 trabajó como ejecutiva de una empresa. En 1969 se casó por primera vez con Ramón García. En 1973 tuvo a su primer hijo, Luis. En 1975 tuvo a su segundo hijo, Juan. En 1983 se quedó viuda ya que su marido murió en un accidente. En 1988 volvió a casarse con un empresario, pero en 1990 se divorció. Le gusta la política, practicar deporte, le encanta el tenis, le gusta la lectura, sobre todo le encantan/le gustan mucho las biografías de políticos, y le gusta mucho la

música clásica. Es/Su personalidad es simpática y abierta, es inteligente y prudente.

3 *Tu artículo debe ser similar al de Actividad 2, pero en primera persona como las respuestas de Actividad 1:*
Me llamo . . . Nací en . . ./Soy de . . . Fui a la escuela, hice el bachillerato/ la secundaria en . . ./a la universidad en . . . Hice . . . Me licencié en . . ./ Estudié la carrera de . . . Trabajé como . . . Fui . . . Me casé . . . Tuve un hijo . . . Me quedé viudo/a . . . Volví a casarme . . . Me divorcié . . . Me gusta . . . me encanta . . . sobre todo me encantan . . . me gusta mucho . . . Soy/Mi personalidad es . . . Mi carácter es . . .

4
1	volvimos	16	nos agradó
2	Estuvimos	17	les gustó
3	Fuimos	18	Estuvimos
4	fue	19	le gusta/le gustó
5	me gustó	20	fuimos
6	fue	21	les encantan/
7	fue		les encantaron
8	le gusta	22	me gustaron
9	Llegamos	23	me gustó
10	fuimos	24	fuimos
11	dormí	25	me encantó
12	sabes	26	pusieron ponían
13	me encanta	27	es
14	nos gustó	28	me divierten
15	Era	29	me gustó

5 a 1 B 2 A 3 A 4 A 5 B 6 B
7 B 8 A/B 9 A 10 A/B 11 B 12 B

b 2 Dijiste; dije
3 Mostraste; mostré
4 Tuviste; tuve
5 Fuiste; fui
6 Hiciste; hice
7 Evitaste; evité
8 No fumaste; no fumé
9 Estuviste; estuve
10 No fuiste; no fui
11 Te pusiste; me puse
12 No hablaste; no hablé

6 2 El domingo quiero ir al cine con Pepe; lo invitaré.
3 Tengo que hablar con mis padres; les/los llamaré mañana.
4 Me gusta este vestido para mi hermana; se lo compraré.

5 El domingo pasado conocí a un chico muy simpático; le he escrito un e-mail.
6 Escribí una carta a mi madre; se la envié ayer.
7 Tenemos un regalo para Felipe y Ana; se lo daremos mañana.
8 Ana vio a sus tías ayer por la calle; las saludó.
9 Tenemos que informarle de los problemas a Sara; se los comentaremos luego.
10 Susana no sabe nada; le daré la noticia mañana.

7 2 ¿Cuántos años hace que Rosa sale con su novio?
–Hace bastantes años que Rosa sale con su novio. Sale con su novio desde hace seis años.
3 ¿Cuánto tiempo hace que vosotros vivís en esta casa?
–Hace pocos meses que vivimos en esta casa. Vivimos en esta casa desde hace cinco meses.
4 ¿Cuánto hace que tu familia está en el extranjero?
–Hace unos cuantos años que mi familia está en el extranjero. Mi familia está en el extranjero desde hace diez o doce años.
5 ¿Cuánto tiempo hace que (ellos) trabajan en la misma empresa?
–Hace muchos años que trabajan en la misma empresa. Trabajan en la misma empresa desde hace veinticinco años.
6 ¿Cuántos días hace que tus padres tienen este coche?
–Hace pocos días que mis padres tienen este coche. Mis padres tienen este coche desde hace diez días.

8 *Tu respuesta debe ser similar a ésta:*
Día 1: iremos a Acapulco y tomaremos el sol en sus famosas playas. Nos alojaremos en un moderno hotel.
Día 2: Iremos a las famosas minas de Taxco. Compraremos joyas, ropas y muebles. Visitaremos la escuela de arte.
Día 3: Iremos a Oaxaca y veremos sus famosos monumentos. Iremos a la fiesta/participaremos en la fiesta; bailaremos y cantaremos.

Día 4: Iremos a Yum Balam y
veremos/estudiaremos las plantas y los animales
salvajes, como el puma.
Día 5: En Malinalco tomaremos/beberemos
café y comeremos frutas típicas. También
veremos las ruinas prehispánicas.
Día 6: Iremos de compras en los famosos
mercados de Cuernavaca y veremos un templo
pirámide.
Día 7: Iremos a Durango a ver las minas y la
industria.
Día 8: Subiremos al pico de Orizaba y veremos
la nieve y el parque.
Día 9: En Puerto Vallarta practicaremos el
senderismo y pescaremos. También haremos
paracaidismo acuático. Haremos una excursión
en barco.
Día 10: Visitaremos las ruinas de las ciudades
mayas de Tulum.
Día 11: Iremos a Veracruz y visitaremos el
puerto.
Día 12: En Isla Mujeres veremos muchos peces
y algas. Bucearemos y recorreremos los
alrededores en lancha.

9 **2** Las negras son las mías./Las mías son las
negras.
3 El azul es el suyo./El suyo es el azul.
4 La de la derecha es la mía./La mía es la de la
derecha.
5 Aquéllos son los vuestros./Los vuestros son
aquéllos.
6 La pequeña es la tuya./La tuya es la
pequeña.
7 Los negros son los suyos./Los suyos son los
negros.

10 **2** No debes mover la pierna. Si mueves la
pierna/Si la mueves te dolerá más.
3 Debes ponerte estas gotas. Si te pones estas
gotas te dolerá menos.
4 Debes ponerte esta crema. Si te pones esta
crema no te escocerá.
5 No debes hablar. Si hablas te quedarás sin
voz.
6 Debes quedarte en la cama. Si te levantas te
pondrás peor.
7 Debes trabajar menos. Si trabajas menos
estarás más tranquilo.

8 Debes hacer más ejercicio. Si haces más
ejercicio te pondrás en forma.

11 *Sugerencias*
1 policía de tráfico en la calle
2 cliente en un taller de reparaciones
3 profesor de conducir en el coche
4 cliente en la agencia de alquiler de coches
5 persona en la calle hablando con un guardia
de tráfico
6 conductor(a) en la carretera habla con otro
conductor(a)
7 examinador de conducir a una persona que
hace el examen
8 ciclista en la calle o carretera
9 empleado/a en la agencia de alquiler de
coches
10 conductor(a) llamando por teléfono desde
la carretera o autopista a un taller mecánico

12 **2** Se requiere experiencia de cinco años.
3 Se valoran conocimientos de inglés.
4 Se piden estudios a nivel universitario.
5 Se exige lealtad absoluta a la empresa.
6 Se necesita conductor experto.
7 Se ofrecen excelentes condiciones de
trabajo.
8 Se pagan los mejores sueldos.
9 Se seleccionan a los mejores profesionales.

13 Ya ha leído el correo electrónico.
Ya ha escrito y enviado tres mensajes.
Ya ha buscado información en Internet para la
presentación en Valencia.
Aún no ha llamado por teléfono a la sucursal de
Edimburgo.
Ya ha tenido la reunión de la mañana con los
empleados.
Ya ha hablado con el jefe de la sucursal de
Berlín.
Ya ha escrito el documento sobre estrategia
comercial.
Ya ha sacado los billetes para el viaje de
negocios a Lisboa.
Aún no ha reservado un hotel en Lisboa.
Ya ha pagado tres facturas.
Aún no ha terminado el informe anual.
Ya ha hecho la entrevista para el puesto de
secretario.

Aún no ha preparado la presentación de la feria de Valencia.
Aún no ha archivado sus documentos.
Ya ha mandado un fax a su jefe.

14 ¿Has leído el correo electrónico ya?
–Sí, he leído ya el correo electrónico.
¿Has escrito y enviado tres mensajes ya?
–Sí, he escrito y enviado ya tres mensajes.
¿Has buscado información en Internet para la presentación en Valencia ya?
–Sí, he buscado ya información en Internet para la presentación en Valencia.
¿Has llamado por teléfono a la sucursal de Edimburgo ya?
–No, no he llamado por teléfono a la sucursal de Edimburgo aún.
¿Has tenido la reunión de la mañana con los empleados ya?
–Sí, he tenido ya la reunión de la mañana con los empleados.
¿Has hablado con el jefe de la sucursal de Berlín ya?
–Sí, he hablado ya con el jefe de la sucursal de Berlín.
¿Has escrito el documento sobre estrategia comercial ya?
–Sí, he escrito ya el documento sobre estrategia comercial.
¿Has sacado los billetes para el viaje de negocios a Lisboa ya?
–Sí, he sacado ya los billetes para el viaje de negocios a Lisboa.
¿Has reservado un hotel en Lisboa ya?
–No, no he reservado un hotel en Lisboa aún.
¿Has pagado tres facturas ya?
–Sí, he pagado ya tres facturas.
¿Has terminado el informe anual ya?
–No, no he terminado el informe anual aún.
¿Has hecho la entrevista para el puesto de secretario ya?
–Sí, he hecho ya la entrevista para el puesto de secretario.
¿Has preparado la presentación de la feria de Valencia ya?
No, no he preparado la presentación de la feria de Valencia aún.
¿Has archivado tus documentos ya?
–No, no he archivado mis documentos aún.

¿Has mandado un fax a tu jefe ya?
–Sí, he mandado ya un fax a mi jefe.

15 Organizaba conferencias. Entrevistaba al personal. Preparaba informes. Hacía reservas de transporte y hotel. Llamaba a los clientes. Buscaba información en la Internet. Pagaba las facturas. Tenía reuniones con los empleados. Hacía presentaciones en conferencias. Archivaba documentos. Recibía y enviaba el correo electrónico. Mandaba faxes.

16
1	vivimos	10	jugábamos
2	vivíamos	11	teníamos
3	trabajaba	12	nadábamos
4	ayudaba	13	hacía
5	hacía	14	vivimos
6	iban	15	trabaja
7	era	16	estudia
8	tenía	17	estudio
9	iba		

17 *Sugerencia*
Querido amigo/a:
Por fin he decidido cambiar mi vida. Estaba cansada de la tienda y he decidido venderla. Ahora tengo más tiempo para estar con mis hijos. Antes mi vida diaria era muy agitada. Todos los días me levantaba muy temprano, a las siete y me duchaba y me vestía. Desayunaba y hacía el desayuno para los niños. Les daba el desayuno y los llevaba al colegio. Después compraba el periódico, tomaba el metro, me sentaba y leía el periódico. Llegaba a la tienda y preparaba las cosas, abría la tienda y servía a los clientes. A las once (a media mañana) descansaba y tomaba un café. Después trabajaba en la caja y a la una y media cerraba la tienda. Después comía en el restaurante de la esquina y tomaba café con Carlos y hablábamos de negocios. Hacía unas compras y volvía a la tienda y ordenaba todo. Abría la tienda y trabajaba hasta las siete sin descansar. A las cinco (aproximadamente) llamaba a los niños.
A las siete cerraba la tienda y volvía a casa. Por la noche (a las ocho) acostaba a los niños y les leía un cuento. Entonces me sentaba por fin y veía la tele. Después leía los e-mails y me ponía a contestar los e-mails de los amigos.

18 *Sugerencia*

Antonio era delgado y bajo, tenía el pelo negro, rizado y muy largo, llevaba/tenía barba y bigote. Llevaba una camisa blanca y chaqueta negra y pantalones vaqueros, también llevaba un sombrero negro, un poco extraño, y gafas de sol. Llevaba un pendiente en la oreja izquierda. Estaba triste y enfadado. Carmen era alta y delgada, tenía el pelo rubio, corto y liso. Llevaba una falda larga de color blanco y un jersey negro, llevaba también un pañuelo negro. Llevaba zapatos de tacón negros y un bolso blanco. Tenía/Llevaba un collar, muchas pulseras, pendientes muy largos y muchos anillos. Estaba muy contenta.

19
1	era	15	eran
2	vivía	16	tenían
3	estaba	17	trabajaban
4	era	18	ayudaba
5	había	19	se ocupaba
6	había	20	hacía
7	éramos	21	limpiaba
8	éramos	22	lavaba
9	jugábamos	23	era
10	comíamos	24	había
11	Íbamos	25	tenía
12	había	26	parecía
13	teníamos	27	éramos
14	ayudábamos	28	queríamos

20 Ana tenía una hija muy perezosa y no le gustaba estudiar. Era inteligente, pero sólo le gustaba salir con sus amigos y pasaba las tardes en la calle, no le gustaba nada estar en casa. No volvía a casa hasta la madrugada. Ana estaba muy preocupada por ella. Lo intentó todo, hasta castigarla, pero no dio resultado.
El hermano de José estaba obsesionado por su aspecto físico, antes de salir de casa pasaba dos horas arreglándose delante del espejo. Le encantaba vestirse con ropa extraña, siempre de negro. Le encantaba el color negro. Todo el día le preguntaba si estaba guapo. José no podía convencerle de que la imagen no era lo más importante.
María discutía mucho con su familia. A su marido le encantaba discutir por cualquier tontería y a sus hijos les gustaba hacerla sufrir y

no la respetaban. María no podía más. La semana pasada decidió marcharse y dejarlos todos. Compró un billete e hizo la maleta, pero después se sentía culpable.

Test

1 Me gusta(n) . . . Me encanta(n) . . . Me interesa(n) . . . Me divierte(n) . . .

2 1 A mi hermano le gusta(n) . . .
2 A mis padres les encanta(n) . . .
3 A mi abuelo le interesa(n) . . .
4 A mi tía le divierte(n) . . .

3 1 les gusta   3 os divierten
2 nos encanta   4 le interesan

4 *Sugerencias*
a Hice los deberes./Fui a mi trabajo./Estudié./Visité a mis amigos./Salí con mis amigos./Bailé./Comí./Cené en un restaurante, etc.
b Hizo/Fue/Estudió/Visitó/Salió/Bailó/Comió/Cenó, etc.

5 1 el peluquero/   3 el/la electricista
la peluquera   4 el mecánico/
2 el profesor/   la mecánica
la profesora

6 *Sugerencias*
1 Un bombero tiene que/debe apagar los incendios/controlar los fuegos.
2 Un dependiente tiene que/debe atender a los clientes/vender cosas de la tienda.
3 Un jefe de personal tiene que/debe organizar a los empleados/vigilar a los empleados.
4 Un programador tiene que/debe programar los ordenadores.

7 1 Se lo mandé.
2 Les/los vi ayer en la calle.
3 Las quieren mucho.
4 Nos invitaron al cine.

8 1 Estudio español desde hace .... meses/años.
2 Vivo en mi casa desde hace .... meses/años.

3 No voy de vacaciones desde hace ....
meses/años.

9 No estoy seguro si **podré ir** al baile esta noche.
Si **voy** te **veré** dentro de la discoteca. Después
nosotros **tomaremos** una copa en un bar
cerca. Si **llamas** a Juan, pregúntale si **vendrá**
también.

10 1 encimera 3 lavavajillas
2 fregadero 4 lavadora

11 2 suyo 4 nuestras
3 suyos 5 tuyo

12 2 El suyo. 4 Las nuestras.
3 Los suyos. 5 El tuyo.

13 1 No se puede fumar dentro del teatro.
2 ¿Se puede entrar por esta puerta?
3 No se puede parar el coche en esta
zona.
4 ¿Se puede tocar la escultura?

14 1 acelerador 3 neumático
2 velocímetro 4 embrague

15 1 Ha dicho 3 He hecho
2 He ido 4 Han puesto

16 1 Aún/Todavía 3 Ya
2 aún/todavía 4 Ya

17 1 vende 3 habla
2 alquila 4 puede

18 1 estropeada 3 prohibido
2 arreglado 4 permitido

19 Era, pagaban, comía, Teníamos, Vivía, había,
Salía, estudiaba, eran, tomábamos, iba,
nadaba

20 1 Para ganarme la 3 Para no tener frío.
vida. 4 Para no mojarme.
2 Para llegar a 5 Para ir a la fiesta.
tiempo.

21 1 es; está 4 está; es
2 es; está 5 estás
3 está; es

22 1 estaba 4 era
2 Era 5 estaba
3 estaban

23 1 Hay; había 3 estaban; están
2 es; era 4 tenía; tiene

Lección 8

Secciones A y B *Actividades*

1 **a** 1 cepillos 2 abrigos 3 pañuelos
4 abanicos 5 revistas 6 moquetas
7 dientes 8 relojes 9 cuadros
10 cucharas

b Esta tarde los tíos de Ana van a comprar el
coche pequeño.

2 **mañana**
estanco – compré una revista
grandes almacenes – compré una falda
cafetería – tomé un café y leí la revista
joyería – compré un regalo para mi madre

grandes almacenes – compré pilas
puesto de un mercadillo – compré zapatos y
gafas de sol
grandes almacenes – comí
tarde
volví a los grandes almacenes – recogí las pilas
volví a la joyería – cambié los
pendientes
la joyería – compré una pulsera
un bar – tomé refresco con unos amigos.

3 Querido amigo:
El sábado pasado fui de compras todo el día.
Por la mañana fui al estanco y compré un/el

periódico. Después fui a una/la perfumería y compré un perfume para mi amiga porque es su cumpleaños. Después de la perfumería fui a unos grandes almacenes y compré un regalo para mi padre, (le) compré un pantalón. Entonces fui a una farmacia y compré pastillas para la tos. Después fui al mercado a comprar pescado, lechuga y pan.

Por la tarde fui a la tienda de fotografía y recogí las fotos de las vacaciones. Volví a los grandes almacenes para cambiar/y cambié el pantalón porque era muy pequeño para mi padre. Después fui a un bar y tomé un café con mi hermano.

Secciones A y B *Gramática*

1 **2** No, ésta no es la casa que alquilaron mis padres. La que alquilaron mis padres es aquélla.
3 No, éstas no son las fotos que hice en Madrid. Las que hice en Madrid son aquéllas.
4 No, éstos no son los amigos que conocimos en la playa. Los que conocimos en la playa son aquéllos.
5 No, éstas no son las flores que me envió mi novio. Las que me envió mi novio son aquéllas.
6 No, éste no es el abrigo que perdió mi hijo. El que perdió mi hijo es aquél.
7 No, ésta no es la pulsera que me compraron mis padres. La que me compraron mis padres es aquélla.
8 No, éste no es el fax que tengo que mandar a mi jefe. El que tengo que mandar a mi jefe es aquél.

2 **2** Sí, quiero aquél.
3 Sí, quieren éstos.
4 Sí, queremos ésas.
5 Sí, queremos aquélla.
6 Sí, quiero éstas.
7 Sí, queremos ése.
8 Sí, quiero aquéllos.
9 Sí, queremos ésta.
10 Sí, quiero aquéllas.
11 Sí, quieren éste.
12 Sí, queremos ésos.

Secciones C y D *Actividades*

1 El libro tiene unas páginas rotas.
Al libro le faltan treinta páginas.
La jarra no tiene asa/A la jarra le falta el asa.
El zapato tiene el tacón roto/Al zapato le falta el tacón.
El jersey tiene un agujero.
Los pantalones tienen una pierna más corta que la otra.
A la bicicleta le falta una rueda/La bicicleta sólo tiene una rueda.

2 Muy señor mío:
Las vacaciones que reservamos a través de su agencia fueron un desastre. En primer lugar no pudimos esquiar porque no había nieve. Además los remontes a la montaña estaban estropeados y no pudimos/podíamos subir. El hotel estaba lejos de las pistas de esquí. Además era viejo y estaba mal cuidado. La habitación era pequeña y fea. La ventana tenía vistas a un patio cerrado en vez de a la montaña. La calefacción no funcionaba. El baño no tenía agua caliente y la ducha estaba rota. En la piscina cubierta no había agua/La piscina cubierta no tenía agua. La sauna estaba estropeada. Por la noche había mucho ruido porque había una discoteca debajo de la habitación.
Esperamos que nos devolverán el dinero que les pagamos.
Saludos cordiales

3 **a**
1	fabrican	**11**	facilitarles
2	pagamos	**12**	intermediarios
3	sabemos	**13**	pagan
4	producen	**14**	creación
5	instalarse	**15**	actualidad
6	impuestos	**16**	encontrar
7	condiciones	**17**	procedentes
8	fabricar	**18**	dañado
9	proporcionan	**19**	elaborado
10	ofrecer	**20**	haciendo

b **1** Porque sus precios son muy altos.
2 Muy pocos.
3 Tierras a bajo precio, bajos sueldos y bajos impuestos.

4 Fabrican a bajo precio y venden a un
   precio muy alto.
5 Se les paga un precio justo por su trabajo
   y se venden los productos sin
   intermediarios, así que los beneficios
   pasan directamente a ellos.
6 En Holanda.
7 No se daña el medio ambiente y no se
   explota a los trabajadores.
8 Con catálogo.

Secciones C y D *Gramática*

1 2 Sí, los compré la semana pasada y ya se han
      roto.
   3 Sí, la limpiamos ayer y ya se ha
      ensuciado.
   4 Sí, el mecánico lo arregló ayer y ya se ha
      estropeado.
   5 Sí, la arreglasteis ayer y ya se ha roto.

6 Sí, las arreglé ayer y ya se han estropeado.
7 Sí, las lavé el lunes y ya se han ensuciado.

2 2 ¿Puedes comprarlas?
   3 Tenemos que encontrarlas.
   4 Hay que llamarlos.
   5 Debes enviarla.
   6 Hay que avisarlo.
   7 Tenéis que comerla.
   8 Debo ordenarlos.
   9 Tienen que corregirlas

3 1 hemos empezado
   2 salieron; estaban
   3 estudió; aprobó
   4 ha tenido; ha obtenido
   5 vino; cociné; estaba
   6 Se ha roto; hemos podido
   7 había; pudimos
   8 llovió; ha parado

Lección 9

Sección A *Actividades*

1 *Sugerencia*
Cuando empezó el incendio en el edificio, en el
primero izquierda, en la cocina, Ana preparaba
la comida. En el primero derecha, en el salón,
Rafael leía y Juanito veía la televisión. En el
segundo izquierda, en el salón, Antonio tocaba
la guitarra y el gato Chufi dormía en el sofá. En
el segundo derecha, en la cocina, Felipe fregaba
los platos y Carlitos hacía los deberes/escribía.
En el tercero izquierda, en el dormitorio,
Manuel hablaba por teléfono y Carmen se
ponía maquillaje/se maquillaba/se arreglaba. En
el tercero derecha, en el salón, Isabel escuchaba
música y Pedro dormía.

2 *Sugerencia*
Querida amiga:
La otra noche me pasó algo muy curioso.
Estaba lloviendo/Llovía y hacía frío. Era muy
tarde. Yo andaba/estaba andando por una calle
muy oscura y un hombre me seguía. Yo empecé

a correr y el hombre corrió también. Yo estaba
muy nervioso. Llegué a mi casa, llamé al timbre
y mi mujer abrió la puerta. Yo entré en casa y
llamé a la policía. Vinieron dos policías, yo les
conté el problema. Después de una hora un
hombre llamó por teléfono. El hombre tenía mi
cartera, la encontró en la calle y quería
devolvérmela. Era el hombre que me siguió en
la calle.

Sección A *Gramática*

1 Ana estaba preparando; Rafael estaba leyendo;
Juanito estaba viendo;
Antonio estaba tocando; el gato Chufi estaba
durmiendo;
Felipe estaba fregando; Carlitos estaba
haciendo/escribiendo;
Manuel estaba hablando;
Carmen estaba poniéndose maquillaje/estaba
maquillándose/estaba arreglándose
Isabel estaba escuchando;
Pedro estaba durmiendo

2 2 estaba paseando; me robaron
    3 llegaste; te estaba esperando/estaba
      esperándote
    4 estaba cenando; llegaron
    5 estaba trabajando; lo llamó
    6 estaba durmiendo; vinisteis
    7 estaban pasando; tuvo
    8 estaba nadando; le dio

3 1 paseaba   **5** dormía
    2 te esperaba   **6** pasaban
    3 cenaba   **7** nadaba
    4 trabajaba

Sección B *Actividades*

1 **a**   **1** desde   **2** hasta   **3** para
        4 a   **5** sobre   **6** contra
        7 hacia a   **8** en   **9** de
        10 por   **11** ante   **12** según
        13 Tras   **14** con   **15** entre
        16 bajo/de
   b a, en, de, ante, bajo, contra, desde, entre,
      hacia, hasta, para, según, sobre, tras (**por** y
      con no aparecen)

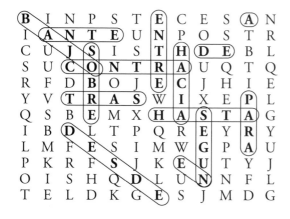

2 c, h, k, g, d, j, a, b, o, p, i, m, e, l, n, f
Nota: Las primeras seis frases (c, d, g, h, j, k)
que indican descripción pueden cambiar de
lugar en la historia.
El otro día Carmen volvía **del** teatro. Iba **a** su
casa **a** pie. No había nadie **por** la calle. Era **de**
noche, **sobre** las doce de la noche. **En** la
avenida no había luces. Llovía **sin** parar y hacía
mucho frío. Carmen llevaba el bolso colgado

del hombro/**en** el hombro. De repente oyó
unos pasos **tras** ella/**detrás de** ella. Se volvió
hacia atrás y vio **a** una mujer. La mujer se
puso rápidamente **al** lado **de** Carmen y le
arrancó el bolso **del** hombro. Entonces se fue
corriendo **por** la avenida. Carmen, **con** un
gran susto, fue **a** casa. Llamó **al** banco
por teléfono **para** cancelar sus tarjetas de
crédito.

Sección B *Gramática*

1 **1** a; en   **7** de; sin
   2 en; a   **8** hacia; de (del)
   3 de   **9** ante
   4 de   **10** a/con; de
   5 a; con; de   **11** por
   6 de; sin

2 **2** ¿En qué consiste tu trabajo?
   3 ¿En qué trabajas?/¿Cuál es tu
      trabajo/profesión?
   4 ¿De quién está enamorada Marisa?
   5 ¿Con quién fuiste a la playa?
   6 ¿De qué trata la película?
   7 ¿Cómo es el protagonista de la película?
   8 ¿Hacia donde corrió la chica?
   9 ¿Sabes reaccionar ante un problema?
   10 ¿De qué habló el jefe a/con los
       empleados?/¿Con quién habló el jefe de
       todos los problemas de la empresa?
   11 ¿Te gusta pasear por el parque?

3 **1** por   **2** para   **3** para   **4** por   **5** por
   6 para   **7** para   **8** por   **9** para   **10** para
   11 por

4 **1** ¿Por qué estáis enfadados?
   2 ¿Para quién es la muñeca?
   3 ¿Para qué/Por qué estarás aquí unos días?
   4 ¿Por qué cometió el crimen?
   5 ¿Por qué trabaja Luis (si es rico)?
   6 ¿Para qué/Por qué compró tantos globos?
   7 ¿Para qué sirve esto?
   8 ¿Por qué estudia arte?
   9 ¿Por qué/Para qué tuvo que trabajar tu
      padre de niño?
   10 ¿Para quién es esta calle?
   11 ¿Por qué perdieron el avión?

Secciones C, D y E *Actividades*

■ 1 1 estación   2 suelo   3 acercó
     4 puñetazo   5 joven   6 bastante
     7 llevaba   8 camiseta   9 sucia
    10 viejos   11 cerveza   12 levantó
    13 pegó   14 hice   15 dimos
    16 correr   17 pudimos   18 sobre
    19 regalo   20 pequeña   21 aunque
    22 zapatos   23 bolsa   24 agenda

■ 2 a 1 Ocurrió sobre las diez o diez y cuarto de
        la noche.
       2 Era muy bonita, pequeña, marrón, de
        plástico duro.
       3 Llevaba una camiseta blanca, muy
        sucia, y unos pantalones vaqueros muy
        viejos.
       4 La maleta estaba en el suelo, a mi lado.
       5 Estábamos sentados los dos, mi novia
        Marina y yo, en la cafetería de la
        estación, en una mesa.
       6 Sí, también llevábamos libros, cuatro
        pares de zapatos, una bolsa de aseo, una
        agenda electrónica y un cargador para el
        móvil.
       7 El chico era bastante gordo y llevaba el
        pelo muy corto.
       8 El chico estaba tomando una cerveza en
        la mesa de al lado y se levantó y cogió la
        maleta.
       9 Alguien se acercó, cogió la maleta del
        suelo y me pegó un puñetazo.
      10 La verdad es que no comprendo por qué
        me pegó, porque yo no hice nada
        cuando el chico cogió la maleta.
      11 Llevábamos ropa, aunque no llevábamos
        mucha (ropa), era ropa que nos gustaba
        mucho.
      12 Cuando nos dimos cuenta, el chico salía
        por la puerta y se echó a correr. Marina

corrió detrás de él, pero no pudimos
alcanzarle y nadie hizo nada para pararlo.
      13 Era un hombre joven . . . un chico de
        unos diecinueve o veinte años.
      14 Ayer nos robaron la maleta.

   b *Sugerencia*: 14, 5, 4, 9, 13, 7, 3, 8, 10, 12, 1,
     2, 11, 6

Secciones C, D y E *Gramática*

■ 1 1 g 2 e (f) 3 c (a) 4 h 5 d 6 f (e) 7 b 8 a (c)

■ 2 *Sugerencia*
Ayer les robaron la maleta a Manuel y a su
novia Marina. Estaban sentados los dos en la
cafetería de la estación, en una mesa, y la maleta
estaba en el suelo, a su lado. Entonces dos
personas/hombres se acercaron, cogieron la
maleta y le pegaron un puñetazo a Manuel.
Eran dos hombres, dos chicos de unos
diecinueve o veinte años. Los chicos eran
bastante gordos y llevaban el pelo muy corto.
Llevaban una camiseta blanca, muy sucia y
unos pantalones vaqueros muy viejos. Los
chicos estaban tomando unas cervezas/una
cerveza en la mesa de al lado y se levantaron y
cogieron la maleta. Manuel no comprendía por
qué le pegaron, porque él no hizo nada cuando
los chicos cogieron la maleta. Cuando Manuel y
Marina se dieron cuenta, los chicos salían por la
puerta y se echaron a correr. Marina corrió
detrás de ellos, pero no pudo alcanzarles y nadie
hizo nada para pararlos. Ocurrió sobre las diez
o diez y cuarto de la noche. Manuel lo sintió
mucho por las maletas, eran un regalo de su
madre, eran muy bonitas, pequeñas, marrones,
de plástico duro, y aunque no llevaban mucha
ropa, era ropa que les gustaba mucho; también
llevaban libros, cuatro pares de zapatos, una
bolsa de aseo, una agenda electrónica y un
cargador para el móvil.

Lección 10

Secciones A y B *Actividades*

1 Cuando los padres volvieron a casa, María y sus amigos habían . . .

dejado botellas vacías por el suelo.
roto el espejo.
ensuciado los sofás.
quemado la mesa.
dejado comida en la mesa.
ensuciado la moqueta.
quemado la moqueta.
estropeado el estéreo.
roto la televisión.

2 **a** 2, 6, 5, 1, 3, 4

b 1 Porque son muy caros.
2 Los programas suelen ser bastante malos y los buenos los echan muy tarde y se va a dormir porque está cansada.
3 No tiene mucho tiempo/No dispone de mucho tiempo.
4 Porque puede hacerlo en casa y es barato ya que trae los libros de una biblioteca.
5 Los de misterio, los de historia y los que la hacen pensar.
6 Porque se cansa de leer cosas tristes.
7 Las de terror con mucha sangre y violencia.

c 1 leer
2 ver la televisión
3 ir al teatro
4 ver películas en casa, en vídeo
5 leer el periódico y revistas
6 ir al cine
7 ver un documental en televisión
8 ir a la ópera
9 leer libros cómicos

3 *Mirar la carta de Actividad 2 para comparar.*

Secciones A y B *Gramática*

1 2 Cuando vosotros empezasteis a estudiar, yo ya había terminado.

3 Cuando María y yo entramos a la oficina, Francisco ya había hecho el trabajo.
4 Cuando yo me fui, Luis aún no había limpiado la casa.
5 Cuando mis hermanas fueron a comprar, el supermercado ya había cerrado.
6 Cuando vosotros me llamasteis por teléfono, yo aún no había cenado.
7 Cuando nosotros llegamos a casa de Pedro, la fiesta ya había terminado.
8 Cuando mis padres compraron la casa, aún no la habían construido.

2 **a** 1 g 2 d 3 b 4 e 5 c 6 f 7 a

b 1 Leo a menudo. → Leo muchas veces.
2 A ratos veo la televisión. → A veces veo la televisión.
3 El teatro me gusta bastante, incluso más que el cine, pero apenas voy. → El teatro me gusta bastante, incluso más que el cine, pero casi nunca voy.
4 De cuando en cuando veo las películas en vídeo. → Alguna vez veo las películas en vídeo.
De vez en cuando voy al cine a ver alguna película especial. → Alguna vez voy al cine a ver alguna película especial.
5 Lo que sucede muy pocas veces. → Lo que sucede no muy a menudo.
6 Nunca voy a la ópera. → Jamás voy a la ópera.
7 Últimamente he leído bastantes libros cómicos. → Recientemente he leído bastantes libros cómicos.

Secciones C y D *Actividades*

1 **a**

1 tenía	8 se había dormido
2 ganaba	9 regresaba
3 perdía	10 pasaba
4 volvía	11 era
5 se enfadaba	12 llegó
6 trabajaba	13 se había marchado
7 se habían acostado	14 se había llevado

15 decía	**20** buscó
16 encontró	**21** estaban
17 se dio	**22** despidieron
18 había ido	**23** se quedó
19 había dicho	

b **1** V: Sí, era un ejecutivo muy ocupado.

  2 F: No, sólo si hacía bien el trabajo y ganaba mucho dinero para la empresa.

  3 F: Se enfadaba mucho con todos, con su mujer y con sus hijos.

  4 V: Sí, su mujer y sus hijos estaban durmiendo/ya se habían dormido.

  5 V: Sí, porque se llevaba trabajo a casa y no tenía apenas tiempo libre.

  6 F: No, hacía muchos viajes de negocios solo.

  7 F: No, su mujer fue a vivir a otra ciudad.

  8 V: Sí, se llevó a los niños con ella.

  9 F: Ahora aún sigue buscando a su familia.

  10 V: Sí, porque dedicaba su tiempo a buscar a su familia.

  11 F: Ahora está buscando empleo en otra empresa parecida/similar a la suya.

c | | |
|---|---|
| **2** una broma | **7** tensión |
| **3** la mayoría | **8** gritaba |
| **4** sigue | **9** le echaban la |
| **5** cualquier tontería | culpa |
| **6** jornada de trabajo | **10** parte |
| | **11** largas temporadas |

12 altas horas de la madrugada	**16** imaginaba
13 suegros	**17** se quedó sin trabajo
14 dejó de	**18** parecida
15 dedicaba todo el tiempo	**19** empleo
	20 regresaba

Secciones C y D *Gramática*

1 **A** Era una pandilla de chicos que crecieron/habían crecido en un barrio y eran raterillos, ladrones, eran un poco traviesos y a uno de ellos lo cogieron preso y fue a la cárcel. Cuando salió ya estaba en Estados Unidos la ley seca y sus amigos se habían convertido en verdaderos mafiosos.

B Era un niño, ya adolescente, que era muy ambicioso, quería ganar dinero rápido y se introdujo en el mundo de la mafia. Conoció a un mafioso importante de la ciudad donde se basaba la película, y él le fue introduciendo en el campo de la mafia, le fue enseñando los trucos hasta que llegó un momento en que él se hizo el jefe de toda la banda y se hizo el jefe de toda la ciudad.

2 **2** Sí. ¡Qué argumento tan interesante!

  3 Sí. ¡Qué actores tan extraordinarios!

  4 Sí. ¡Qué historia tan extraña!

  5 Sí. ¡Qué música tan fabulosa!

  6 Sí. ¡Qué protagonista tan guapo!

  7 Sí. ¡Qué tema tan difícil!

  8 Sí. ¡Qué personaje tan antipático!

Lección 11

Sección A *Actividades*

1 **1** Baja el brazo derecho.

  2 Dobla la rodilla izquierda.

  3 Gira la cabeza hacia la derecha.

  4 Pon/Coloca la mano izquierda sobre la cara.

  5 Coloca/Pon las dos manos por detrás de la cabeza.

  6 Da la vuelta.

  7 Echa la cabeza hacia atrás.

  8 Levanta los brazos.

  9 Toca los pies con las manos.

2 **A:** 2, 4, 6

  B: 5, 7, 10

  C: 2, 3, 8, 12

  D: 1, 9, 11

Sección A *Gramática*

1 **2** Cierra la ventana.
3 Ten cuidado con tu trabajo.
4 Cállate cuando habla el profesor.
5 Haz los deberes.
6 Abre la puerta. Están llamando.
7 Repite la frase varias veces.
8 Estudia más; si no, no aprobarás los exámenes.
9 Ven a casa antes.

2 **2** Póntela.
3 Dáselos.
4 Explícasela.
5 Escríbesela.
6 Prepáraselo.
7 Regálaselos.
8 Alquílaselo.
9 Dásela.
10 Dáselas.
11 Cómprasela.

Secciones B y C *Actividades*

1 **vosotros**
1 contribuid
2 Llevad
3 Respetad
4 aprended
5 sed
6 Comprad
7 Usad/Utilizad
8 Respetad
9 utilizad/usad
10 Tened
11 Haced
12 recordad
13 Viajad
14 id
15 tened
16 venid

ustedes
1 contribuyan
2 Lleven
3 Respeten
4 aprendan
5 sean
6 Compren
7 Usen/Utilicen
8 Respeten
9 utilicen/usen
10 Tengan
11 Hagan
12 recuerden
13 Viajen
14 vayan
15 tengan
16 vengan

2 *Sugerencias*
2 No ensucies la playa.
3 No malgastes el agua y la electricidad.
4 No molestes a los demás.
5 No olvides las bolsas de basura.
6 No bebas demasiado/mucho.
7 No hagas fuego más que en lugares permitidos/No hagas fuego en lugares prohibidos.
8 No viajes en coche.
9 No hagas ruido.
10 No comas mucho/demasiado.
11 No conduzcas peligrosamente.

Secciones B y C *Gramática*

1 **a** **Natación**
1 Si sufrís de los oídos, usad tapones especiales de venta en farmacias.
9 Usad siempre gorro para proteger el cabello del cloro y gafas para evitar irritaciones.
11 Si habéis comido mucho, esperad por lo menos dos horas para practicar este deporte.

Tenis
2 Bebed regularmente para no deshidrataros.
4 Empezad poco a poco y entrenad bien antes de un partido.
6 Llevad falda o pantalón cortos para correr mejor.

b **Natación**
1 Si sufren de los oídos, usen tapones especiales de venta en farmacias.
9 Usen siempre gorro para proteger el cabello del cloro y gafas para evitar irritaciones.
11 Si han comido mucho, esperen por lo menos dos horas para practicar este deporte.

Tenis
2 Beban regularmente para no deshidratarse.
4 Empiecen poco a poco y entrenen bien antes de un partido.
6 Lleven falda o pantalón cortos para correr mejor.

2 **2** Poneos el abrigo, si no tendréis frío.
3 Veníos al cine conmigo.
4 Compraos estos collares, son preciosos.
5 Vestíos niños, vamos a salir.
6 Duchaos mientras preparo la comida.
7 Marchaos ya, llegaréis tarde.
8 Cuidaos mucho, no debéis trabajar todavía.
9 Bañaos, el agua está muy buena.

Secciones **D** y **E** *Actividades*

1 **1** c **2** d **3** b **4** g **5** a **6** e **7** f

2 **1** g **2** d **3** e **4** f **5** b **6** a **7** c

Secciones **D** y **E** *Gramática*

1 **Formal**: **1** Venga, Llévese **2** Viva, vaya, Venga, Acuérdese **5** Hable, Estudie, Exija, Venga **7** Plante, disfrute
Informal: **3** Juega, trabaja, Cambia, Ven **4** Encuentra, Viste **6** Encuentra, busca, Sé, entra

2 **a** **Ciclismo**
  2 Beba regularmente para no deshidratarse.
  3 Cuide la espalda, ponga el sillín a la altura adecuada.
  8 Tenga precaución si va por la carretera
  12 Vaya siempre por la derecha y si va en grupo, en fila.

Windsurf
  5 Lleve chaleco salvavidas y tenga siempre agua potable.
  7 Practique cuando haya poca gente y manténgase cerca de la costa.
  10 Use zapatillas de deporte para no resbalar sobre la tabla.

b **Ciclismo**
  2 Beban regularmente para no deshidratarse.
  3 Cuiden la espalda, pongan el sillín a la altura adecuada.
  8 Tengan precaución si van por la carretera
  12 Vayan siempre por la derecha y si van en grupo, en fila.
Windsurf
  5 Lleven chaleco salvavidas y tengan siempre agua potable.
  7 Practiquen cuando haya poca gente y manténganse cerca de la costa.
  10 Usen zapatillas de deporte para no resbalar sobre la tabla.

Lección 12

Secciones **A** y **B** *Actividades*

1 **1** c v **2** h iv **3** a vii **4** e iii **5** f viii
  6 b i **7** g vi **8** d ii

2 **a** **1** comas **2** tiréis **3** mires
    4 lleves **5** leas **6** vista
    7 conduzca **8** ponga **9** uséis
    10 compren **11** pongas **12** dejes

  b **A:** 2, (6), 9, 10
    B: 4, 8, 12
    C: 1, 5, (6)
    D: 3, 7
    E: 6, 11

Secciones **A** y **B** *Gramática*

1 **2** Es mejor que vayas a trabajar pronto.
  3 Te aconsejo que hagas los deberes.
  4 Te recomiendo que salgas todos los días a pasear.
  5 Te sugiero que veas la película, es muy buena.
  6 Es mejor que llegues pronto a la reunión.
  7 Te recomiendo que pongas las plantas al sol.
  8 Te sugiero que traigas a tus amigos a la fiesta.

2 **2** Os aconsejamos que vayáis a la montaña.
  3 Le sugiero que elija el de recepcionista.
  4 Es mejor que le compres un reloj.
  5 Os recomiendo que vayáis al teatro.
  6 Te aconsejamos que estudies química.
  7 Os sugerimos que le deis el premio a Carlos.
  8 Te recomiendo que pongas pescado.

Secciones **C**, **D** y **E** *Actividades*

1 **1** haya   **3** pueda
  2 se recupere **4** siga

5 puedan
6 haya
7 se descubran
8 sean
9 haya
10 existan
11 tengamos
12 hagan
13 gane
14 se porten
15 sean
16 le echen
17 se acabe
18 pierda

D: para que vengas a pasar unos días; para que no tengas que tomar el tren
E: no creo que tengas problemas; Dudo que gastes mucho
F: es necesario que me llames; Es importante que traigas ropa cómoda

2 a

	deseo	queja/molestia
general	1,7,15,17	3,5,9,10
personal	2,4,6,8,13	11,12,14,16,18

b 1+9   2+11   3+17   4+16   5+7
6+12   8+14   10+15   13+18

3 a
1 vengas
2 estés
3 vengas
4 conozcas
5 saques
6 tengas
7 vengas
8 tengas
9 llames
10 llegues
11 traigas
12 traigas
13 llegues
14 gastes
15 tengas
16 podamos

b A: es mejor que vengas la semana que viene; te recomiendo que saques el billete; te sugiero que no traigas muchas cosas
B: quiero que estés conmigo; quiero que conozcas a mis amigos; Espero que no tengas problemas; ¡Ojalá podamos pasar unos días juntos!
C: Cuando vengas; cuando llegues; Cuando llegues

Secciones C, D y E *Gramática*

1 2 Quiero que mis hijos aprueben los exámenes.
3 Quiero que vosotros vayáis a la universidad y que estudiéis una carrera.
4 Me gustaría que mi hermano encuentre trabajo en una oficina.
5 Deseo que mi hijo viaje al extranjero.
6 Me gustaría que te cases con alguien inteligente.
7 Quiero que mis padres compren una casa grande con piscina.
8 Deseo que mis amigos se compren un coche muy grande.
9 Deseo que vosotros tengáis menos trabajo.
10 Quiero que nosotros ganemos un premio en la lotería.

2 1 estudies; subas
2 quedarme; vengáis
3 pienses; hacer; puedas; quieres
4 pórtate; hagan; te portes
5 acostarme; estaré; llegar; me despidan
6 trabaje; venga; esté; realizar
7 vengas; te presentaré; conozcas
8 volváis; lleguen; podremos/podréis
9 ayudar; apruebe; haga

Lección 13

Secciones A y B *Actividades*

1 2 ¿Podrías abrir la ventana?
3 ¿Te importaría llevarme en tu coche?
4 ¿Podría hacerlo fuera?
5 ¿Tendría la amabilidad de entrar a verle?
6 ¿Querrías acompañarme?
7 ¿Os importaría prestárselos?
8 ¿Les importaría invitarnos a comer con ellos?
9 ¿Querríais venir con nosotros?
10 ¿Os gustaría probarlo?
11 ¿Te importaría explicármela?
12 ¿Podría usted arreglarlo?

2 a

1	encantaría	14	estaría
2	Desearía	15	podría
3	gustaría	16	aprendería
4	sería	17	integraría
5	podría	18	interesaría
6	sería	19	Estaría
7	ofreceríamos	20	aceptaría
8	sería	21	tendría
9	importaría	22	trabajaría
10	querría	23	haría
11	sería	24	haría
12	sentiría	25	importaría
13	sería		

b

1 F: No, el trabajo es de secretaria bilingüe.

2 V: Sí, es una empresa puntera.

3 F: Elisa habla tres idiomas.

4 F: No, querría ganar un buen sueldo en el futuro (a largo plazo), pero ahora no le importaría ganar poco.

5 V: El sueldo que le pagarían en este trabajo no sería muy alto.

6 V: Le pregunta si está segura de que se sentiría a gusto en el puesto.

7 F: Dice que aprendería rápidamente.

8 V: Sí. Dice que se integraría fácilmente en el equipo.

9 F: Dice que puede empezar cuanto antes.

10 F: Dice que viajaría frecuentemente.

11 V: Dice que se adaptaría a cualquier horario.

Secciones A y B *Gramática*

1 2 Brindaría con champán.

3 Viajaría por todo el mundo.

4 Trabajaría en esta empresa.

5 Iría a la montaña.

6 Tendría vacaciones.

7 Leería todo el día.

8 Haría una fiesta.

9 Saldría con mis amigos.

2 2 Sí, vendríamos con vosotros otra vez.

3 Sí, Luis y Sara irían a la piscina con nosotros/vosotros.

4 No, mis padres no podrían comprar este coche.

5 Sí, yo cuidaría al niño esta noche.

6 Sí, comeríamos con vosotros el día de Navidad.

7 Sí, querríamos asistir a la conferencia.

8 No, no te daría más dinero cada mes.

9 No, no diría el secreto.

Secciones C y D *Actividades*

1 *Sugerencia*

Si fuera a Perú visitaría Machu Picchu y sus ruinas incas e iría al lago Titicaca.

Si fuera a Venezuela me bañaría en las cristalinas aguas del Caribe, tomaría el sol en sus playas doradas, atravesaría sus espesos bosques y admiraría sus impresionantes cascadas.

Si fuera a Colombia caminaría por las calles de Bogotá, visitaría sus iglesias y museos. También iría a Cartagena de Indias y vería sus castillos y murallas.

Si fuera a Ecuador recorrería la Amazonia y en sus aguas podría ver caimanes, pirañas y delfines rosas. Viajaría a las Islas Galápagos y vería las tortugas.

2 2 Si fuera una prenda de vestir sería un abrigo.

3 Si fuera una comida sería cordero asado.

4 Si fuera un helado sería de fresa.

5 Si fuera una planta o un árbol sería un olmo.

6 Si fuera una flor sería una rosa.

7 Si fuera un color sería amarillo.

8 Si fuera un animal sería el ratón.

9 Si fuera un utensilio de cocina sería el cuchillo.

10 Si fuera un país sería Argentina.

11 Si fuera una bebida sería la sangría.

12 Si fuera un dulce sería natillas.

13 Si fuera un sentimiento sería el amor.

14 Si fuera un fenómeno meteorológico sería la nieve.

Secciones C y D *Gramática*

1 a 1 Si le tocara la lotería a Mari Mar llevaría una vida como la que lleva ahora, montaría un negocio en peluquería, daría trabajo a otras personas, haría viajes, tendría mucha tranquilidad.

2 Si le tocara la lotería a María Jesús compraría un piso muy grande y un apartamento en la playa, viajaría y conocería el mundo.

3 Si le tocara la lotería a Javier viajaría, ayudaría a mucha gente, lo gastaría.

b *Sugerencia*

Si me tocara la lotería yo compraría una casa, ayudaría a la familia y daría parte a los amigos. Pasaría unas vacaciones en el Caribe y desaparecería una temporada en una isla desierta. Tendría un yate de lujo. Saldría a

celebrarlo, bebería mucho cava, bailaría, gastaría y compraría más lotería.

2 **2** Si tuvieras una cocina más grande, podrías comer en ella.

3 Si tuvierais un cuarto de baño más grande, podríais tener una bañera muy grande.

4 Si tuvieran un salón más grande, podrían tener muchos invitados.

5 Si tuvieras una terraza, podrías tomar el sol.

6 Si tuvierais un piso en el centro, saldríais todas las noches.

7 Si tuviera una casa, no tendría ruidos.

Lección 14

Actividades y *gramática*

1 **1** c **2** b **3** a **4** c **5** a **6** c **7** a **8** b **9** c **10** b **11** c **12** a

2 **1** El primer ordenador electrónico del mundo se construyó entre los años 1939–1942.

2 El profesor Atanasof y su alumno Berry construyeron este primer ordenador electrónico en Estados Unidos.

3 La primera calculadora se construyó en 1945.

4 Esta primera calculadora que se construyó en Estados Unidos, medía 167 metros cuadrados.

5 Alan Sugar inventó el primer disquete o disco 'floppy', que era un disco de ocho pulgadas y capaz de almacenar 100Kb en 1971.

6 El disquete actual, que mide 3,5 pulgadas, lo inventó Sony.

7 El primer disco duro, que sólo almacenaba 5MB y costaba millones, lo inventó en 1956 IBM.

8 El primer disco duro para ordenadores personales no apareció hasta 1980.

9 El 'ratón', que hizo/hacía a los ordenadores más accesibles para millones de personas, lo inventó Douglas C. Engelbart en 1963.

10 La compañía Apple sorprendió al mundo con el ordenador Macintosh en 1984.

11 Ray Tomlinson envió el primer mensaje de correo electrónico desde un ordenador a otro que estaba en la misma habitación en 1971.

12 Aunque los CD ROM, que revolucionaron el mundo de las aplicaciones multimedia y los juegos, no aparecieron masivamente en los ordenadores hasta comienzos de los años noventa, el primer CD ROM, que tenía una capacidad de 550MB, apareció en 1985.

3 **1** El año pasado mis/unos amigos y yo fuimos de vacaciones al Pirineo.

2 Un día hicimos una excursión y subimos a una montaña muy alta.

3 De repente empezó una gran tormenta, llevábamos poca ropa, llovía mucho y hacía frío.

4 Pero no podíamos parar aunque estábamos muy cansados.

5 Por fin llegamos a un refugio y estuvimos allí hasta que pasó la tormenta.

6 Estábamos muy mojados, teníamos mucho sueño, pero no podíamos dormir.

7 Después bajamos al pueblo, teníamos mucha hambre y cenamos algo caliente.

8 Entonces nos acostamos.

4 **2** ¿Qué hacíais cuando el ladrón entró en vuestra casa?
  –Estábamos durmiendo.
3 ¿Qué hacías cuando llamé por teléfono?
  –Estaba duchándome.
4 ¿Qué hacía Luis cuando le robaron el coche en la gasolinera?
  –Estaba pagando la gasolina.
5 ¿Qué tiempo hacía cuando salisteis anoche?
  –Estaba lloviendo.
6 ¿Qué hacían los empleados cuando sonó la alarma?
  –Estaban hablando de las ventas anuales.
7 ¿Qué hacían los estudiantes cuando entró el profesor?
  –Estaban haciendo los deberes.

5 **a**

1	de	**2**	de	**3**	sin	**4**	en
5	sin	**6**	Ante	**7**	sobre	**8**	para
9	con	**10**	para	**11**	a	**12**	de
13	con	**14**	de	**15**	contra	**16**	a
17	En	**18**	de	**19**	de	**20**	de
21	en	**22**	por	**23**	de	**24**	de
25	para	**26**	a	**27**	a	**28**	de
29	a/en	**30**	de	**31**	con	**32**	a
33	por	**34**	para	**35**	por	**36**	a
37	en	**38**	contra	**39**	en	**40**	de
41	con						

b **1** Tenía veinte años.
2 Desapareció hace diez días.
3 La policía encontró su coche cerca de Barcelona.
4 Encontraron la ropa dentro del coche.
5 La ropa estaba manchada de sangre.
6 Estaba en la playa.
7 Llamó a los padres de Pablo.
8 No, pero cree que quizás unos ladrones le atacaron/atracaron.
9 No se sabe, pero quizás está herido.

6 **a** **1** B **2** A **3** A+B **4** B **5** B **6** B
  7 A+B **8** A+B

b **1** Tres jóvenes entraron en una joyería.
2 El dueño de la tienda llamó a la policía.
3 La policía persiguió el coche.
4 Uno de los ladrones se quedó con los niños.
5 La madre de los niños volvió a casa.

6 El dueño y uno de los clientes tuvieron que ir al hospital.
7 Los niños llamaron a su madre.
8 Los ladrones dieron unos caramelos a los niños.

7 **a** **Historia A**

1	fuimos	**10**	vimos
2	Hacía	**11**	nos habíamos dejado
3	había llovido	**12**	Fuimos/
4	se había secado		Habíamos ido
5	había	**13**	había/hay
6	me di cuenta	**14**	me di cuenta
7	nos habíamos olvidado	**15**	había cogido
8	fuimos/íbamos	**16**	cogí
9	abrir	**17**	Estuve

Historia 2

1	era	**7**	se habían dado
2	fui	**8**	era
3	habíamos terminado	**9**	había vuelto
4	fui	**10**	se asustaron
5	me perdí	**11**	empezaron
6	estaban	**12**	tardaron
		13	pasé

Historia 3

1	iba	**10**	se acercó
2	estaba	**11**	tocó
3	oí	**12**	asusté
4	di	**13**	había oído
5	vi	**14**	había visto
6	Empezó	**15**	miré
7	estaba	**16**	vi
8	había cogido	**17**	era
9	llevaba	**18**	había seguido

b **1** A **2** B+C **3** C **4** A
  5 A **6** A+B **7** C **8** A+C

8 **a** **Aries**: Regálale/Cómprale
  Tauro: Dale; haz; marchaos
  Géminis: Cómprale/Regálale; Lleva
  Cáncer: Pídele; Invítalo/la; tomad
  Leo: Vete; cómprale/regálale; tómalo; póntelo
  Virgo: Prepárale; comedlo
  Libra: Regálale/cómprale; leedla
  Escorpio: Llévalo/la
  Sagitario: Cómprale/Regálale; marchaos; haz; aguanta

Capricornio: Cómprale/Regálale
Acuario: Cómprale/Regálale
Piscis: Regálale/Cómprale

b
1 Virgo
2 Tauro
3 Capricornio
4 Acuario
5 Libra
6 Cáncer
7 Sagitario
8 Aries
9 Géminis; Leo
10 Escorpio
11 Piscis

9
1 comed   **2** coma   **3** sal
4 salgan   **5** ve   **6** vaya
7 vayan   **8** ven   **9** venid
10 di   **11** diga   **12** digan
13 tened   **14** tenga   **15** tengan
16 pon   **17** pongan   **18** conduzca
19 conduzcan   **20** empieza   **21** empezad
22 empiecen   **23** haz   **24** haga
25 hagan   **26** cerrad   **27** cierre
28 da   **29** dé   **30** den

10 **1** e   **2** c   **3** b   **4** f   **5** g   **6** a   **7** d

11 **a** **1** g   **2** a   **3** b   **4** e   **5** f   **6** h   **7** d   **8** c

b **a** Para que lleguemos a tiempo.
b Para que oigas la música mejor.
c Para que estés sano.
d Para que te levantes temprano.
e Para que conduzcas mejor.
f Para que veas a los abuelos.
g Para que sepas como llegar.
h Para que durmamos mejor.

12 **2** Si tuviera dinero me lo compraría.
3 Si pudiera te acompañaría.
4 Si no tuviera que trabajar me quedaría en casa.
5 Si me apeteciera salir esta noche, vería la obra.
6 Si quisiera me iría.
7 Si pudiera beber alcohol tomaría una cerveza.
8 Si fuera el mío me lo llevaría.
9 Si estuviera en casa hablaría con él.

13 **1** V
2 V
3 F: No hay suficientes. Se necesitarán más.
4 F: Tiene un nivel bueno pero habría que mejorarlo.

5 V
6 F: A veces cruzan sin tener cuidado.
7 V
8 V
9 F: Es una ciudad pequeña y las distancias no son largas.

Test

1 **1** un autobús   **3** un paraguas
2 guantes   **4** una guitarra

2 **1** el que   **3** los que
2 las que   **4** la que

3 **1** aquella   **3** Estos; aquéllos
2 este; ése   **4** esas; éstas

4 **1** b   **2** a   **3** d   **4** e   **5** c

5 **1** arreglarlo   **4** traerlos
2 traerla   **5** comprarlas
3 limpiarla

6 **1** paseaba; robó   **3** hablaba; empezó
2 Salí; Hacía   **4** sufrió; conducía

7 **1** Estaba lavando la ropa.
2 Mi padre estaba viendo la televisión.
3 Mis hijos estaban durmiendo.
4 Estábamos comprando comida en el supermercado.

8 **1** de   **4** sobre
2 por   **5** desde; hasta
3 entre   **6** sin

9 **1** para   **4** por
2 por   **5** para
3 por   **6** para

10 **1** había salido   **3** había desaparecido
2 se habían terminado   **4** os habíais ido
5 habían visto

11 **1** Aún   **2** ya   **3** aún   **4** ya

12 **1** **d** lectora   **3** **b** columnista
2 **a** protagonista   **4** **c** presentadora

13 1 Haz 2 compra 3 Sal 4 Di 5 Corre

14 1 Regálasela   4 Mándaselos
   2 Póntela   5 Míralas
   3 Cuéntamela

15 1 Llamadme   4 Tened
   2 Decídselo   5 Venid
   3 Dádselo   6 Salid

16 1 Pase por aquí, por favor.
   2 Perdone la molestia.
   3 Abra la puerta.
   4 Hágalo ahora.

17 1 ¡No corras!   4 No hagan ruido.
   2 ¡No pares!   5 No comas la carne.
   3 No empiece

18 1 tomemos   4 probéis
   2 leas   5 conduzcamos
   3 vayas

19 Te aconsejo/Te recomiendo/Es aconsejable/Es mejor, etc. . . .
   1 que vayas/llames al médico.
   2 que estudies mucho.

   3 que comas menos chocolate.
   4 que llames al mecánico/que lleves el coche al mecánico.
   5 que vayas al dentista.

20 1 Quiero que tomes estas pastillas.
   2 Quiero que estudies más.
   3 Quiero que (usted) trabaje más.
   4 Quiero que (usted) me acompañe a la comisaría.
   5 Quiero que no hagáis tantos errores.

21 1 tenga   4 visiten
   2 vea   5 terminemos
   3 salga

22 1 fuera 2 tuviera 3 pudiera 4 estuvieran

23 1 ¿Qué comprarías si ganaras mucho dinero? —Compraría . . .
   2 ¿Dónde vivirías si pudieras vivir en cualquier sitio? —Viviría . . .
   3 ¿Qué harías durante un año si tuvieras el tiempo y el dinero? —Haría/Viviría/Visitaría, etc. . . .
   4 ¿Con quién cenarías si pudieras elegir? —Cenaría con . . .